JN053290

高校数学からはじめるディープラーニング

初歩からわかる人工知能が働くしくみ

金丸隆志　著

ブルーバックス

必ずお読みください

　本書の演習部分（ExcelおよびLibreOfficeの演習ファイル）では、以下の環境を使い、機能を確認のうえ執筆しています。

　Excel 2016、Excel 2019（ともにWindows 10）、
　macOS用Excel 2016、Excel 2019、
　LibreOffice 6.3.5（Windows 10、macOS）、LibreOffice 6.1.5
（Raspberry Pi）

　本書に掲載されている情報は、**2020年4月時点のもの**です。実際にご利用になる際には変更されている場合があります。OSやExcel、LibreOfficeの更新などにより、本書の演習実行手順に変更が必要になるときは、下記に掲載する本書のサポートサイトに最新の情報を掲載していく予定です（**最新情報の更新は、初版刊行時の2020年4月から3年経過後やその他やむを得ない事情が生じた際には終了させていただくことがございます。あらかじめご了承ください**）。

　本書の演習部分は、パソコンやインターネットの一般的な操作をひと通りできる方を対象にしているため、基本操作などは解説しておりません。コンピュータという機器の性格上、本書はコンピュータ環境の安全性を保証するものではありません。著者ならびに講談社は、本書で紹介する内容の運用結果に関していっさいの責任を負いません。**本書の内容をご利用になる際は、すべて自己責任の原則で行ってください。**

　著者ならびに講談社は、**本書に掲載されていない内容についてのご質問にはお答えできません。また、お電話によるご質問にはお答えしません。**あらかじめご了承ください。

▪ **本書のサポートサイトについて**

http://bluebacks.kodansha.co.jp/books/9784065194034/
appendix/
（小文字の「l」を数字の「1」と入力されませんようご注意ください）
サポートサイトでは、以下の対応を行っています。
・演習で使用するプログラム一式やPDFの配布
・将来的なバージョン更新にともなう、本書の演習実行手順への影響や対応策の掲載
・正誤表の掲載
サポートサイトがメンテナンス中で表示されない場合の対処法は、以下で発信いたします（https://twitter.com/bluebacks_pub）。

本書で紹介される団体名、会社名、製品名などは、一般に各団体、各社の商標または登録商標です。本書ではTM、®マークは省略しています。

　　　　●カバー装幀／芦澤泰偉・児崎雅淑
　　　　●カバー画像／ gettyimages
　　　　●目次・本文デザイン／齋藤ひさの

●ディープラーニングの数学

　本書は、執筆時にブームとなっている人工知能（Artificial Intelligence, AI）の要素技術の一つである「ディープラーニング（深層学習）」で用いられている数学について解説します。ディープラーニングとは、人間の脳で行われている情報処理の手法を工学的に応用する「ニューラルネットワーク」という学問分野で使われる一手法です。

　スマートフォンの音声認識機能や翻訳機能、カメラの画像補正機能に使われるなど、ディープラーニングは私たちの日常にも浸透しつつあります。

　摩訶不思議で謎めいた技術と思われがちなディープラーニングが、高校で学ぶ範囲の数学に支えられていることを知ることで、皆さんが人工知能やディープラーニングに親しみを感じられるようになることを狙いとしています。

●ニューロンのモデル

　ニューラルネットワークとは、人間を含む生物の脳を構成する要素である神経細胞（ニューロン）を数学やコンピュータで取り扱えるようモデル化し、それを多数組み合わせたネットワークモデルがどのような性質や機能をもつかを探究する学問です。

　1943年に神経生理学者のマカロックと数学者のピッツ

により発表されたニューロンのモデルが最初期のニューラルネットワークです。彼らはニューロンを複数組み合わせたモデルまでを考え、それがAND素子やOR素子などの論理素子を構成できることを示しました。論理素子は現代のコンピュータを構成するために不可欠な要素ですから、ニューロンの組み合わせによりコンピュータと同等の機械を構成できることが示されたのです。

　ここで、ニューロンに対する入力は、高校数学で学ぶ「ベクトル」として取り扱われます。ニューロンは入力であるベクトルから計算に基づいて1つの数値を出力します。その計算には、ベクトルの内積が用いられ、その結果の理解には直線や平面といった座標空間上の図形の知識が必要です。

● 学習機能をもったニューロン

　ニューロンに学習機能をもたせたのが、1958年に心理学者のローゼンブラットにより発表されたパーセプトロンというモデルです。文字認識などの機能を学習によりデータから自動的に獲得できるようになりました。

　現代の考え方でニューロンの学習を解説すると、「損失関数と呼ばれる関数の微分を利用して、ニューロンが機能を獲得するよう自分自身を調節すること」となります。関数を微分する際に、指数関数や対数関数の知識が用いられます。

4

● 多層ニューラルネットワークの学習

　ニューロンを層状に多数結合したネットワークを多層ニューラルネットワークといいます。多層ニューラルネットワークに学習を導入するには、1986年にラメルハートらが提案した誤差逆伝播法（バックプロパゲーション）を用います。これにより、ニューロン1つのみを学習させるモデルよりもより実用的な問題が取り扱えるようになりました。

　誤差逆伝播法にも損失関数の微分が用いられます。この際、学習時の誤差がネットワークの出力側から入力側へ戻っていく（逆に伝播する）ことが誤差逆伝播法の特徴です。誤差逆伝播法は合成関数の微分により実現されます。

● ディープラーニングへ

　多層ニューラルネットワークの層の数を増やす（層を深くする）ことでディープラーニングを行うニューラルネットワークとなります。ディープラーニングでは1980年代以降に提案されてきた性能向上のためのさまざまなアイディアが活用されています。

　ディープラーニングを行うニューラルネットワークの中から、画像認識で高い正解率を得られる畳み込みニューラルネットワーク（Convolutional Neural Network, CNN）を紹介します。CNNには画像処理で使われる畳み込み演算によるフィルタ処理が活用されています。

● 演習による理解の補強

　ディープラーニングを支える数学の理解を補強するため、プログラムを含んだExcel用マクロファイルを用意しました。Excelをお持ちでない方は無料のLibreOffice用のマクロファイルを用いることもできます。わかりにくい概念が出てきたとき、この演習用ファイルがきっと理解の助けとなるはずです。

　以上で見たように、ディープラーニングには1940年代から始まったニューラルネットワークのさまざまな手法がたくさん注ぎ込まれています。ですから、焦って一気に理解しようとするより、ひとつひとつ段階を踏みながら着実に理解していくのが、結局は早道になると筆者は考えます。

　最新の技術が、伝統的な数学とニューラルネットワーク研究者の地道な研究に支えられていることが本書を通じて伝われば、筆者としては幸いです。

　最後に、本書の執筆をサポートしてくださったブルーバックス編集部の皆さんと筆者の家族に感謝いたします。

2020年3月　金丸隆志

CONTENTS

3章 損失関数の微分により ニューロンを学習させよう

4章 合成関数の微分を用いて多層ニューラルネットワークを学習させよう

6章　画像認識に適した畳み込み ニューラルネットワーク

ディープラーニングと
ニューラルネットワーク

1章

▌1 ディープラーニングと人工知能

●人工知能とディープラーニング

本書では**ディープラーニング（深層学習）**を支える数学について解説します。まずはディープラーニングを取りまく現状について本章で紹介しましょう。

現在、スマートフォンによる音声認識や自動車の自動運転技術などの話題で**人工知能**（Artificial Intelligence, AI）について耳にする機会が増えており、人工知能ブームと言ってよい状況が続いています。多くの方にとって、ディープラーニングとは人工知能という用語とともに記憶されている言葉ではないでしょうか。

ディープラーニングは、現在の人工知能ブームを支える技術の一つです。そのことを理解するため、まずは人工知能という学問分野の歴史を振り返ってみましょう。

●人工知能の歴史～第一次人工知能ブーム

人工知能とは、コンピュータなどで人間のような知能を実現しようという学問です。人工知能の歴史をまとめた図1-1をもとに、人工知能という学問のイメージをつかんで

みましょう。

　人工知能という用語が初めて使われたのは1956年に開催されたダートマス会議であると言われています。この会議には人工知能の研究者が集まり、機械による言語の使用や機械による問題解決など、人工知能という分野の方向性が議論されました。

　現在のコンピュータの元祖と言われるEDSACが開発されたのが1949年、初の商用コンピュータUNIVAC-Iが発売されたのが1951年ですから、新たに登場したコンピュータという機械に人間のような知的な作業を行わせたいというのは自然な発想だったのではないでしょうか。

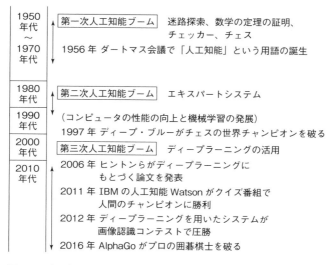

図1-1　人工知能の歴史

それとともに、人工知能ブームが1950年後半から1960年代にかけて起こっています。取り扱われたのは迷路の探索や、数学の定理の証明、チェッカーやチェスなどのゲームです。どれも知能が必要な課題であると思えるのではないでしょうか。これらの課題をコンピュータに適した方法で解決する方法が考案され成功を収めました。

　しかしその反面、どの課題もある限定された状況でのみ機能する知能であると言えます。このように、より実用的な課題の解決は困難であることがわかり、第一次人工知能ブームは収束していきます。

　とは言え、ゲームを行う人工知能を開発する流れは現在も続いています。前ページの図1-1の年表では、1997年にIBMのスーパーコンピュータであるディープ・ブルーがチェスの世界チャンピオンを破ったこと、2016年にGoogle傘下のDeepMind社が開発したコンピュータプログラムAlphaGoがプロの囲碁棋士を破ったこと、などが該当します。

　ディープ・ブルーの勝利には当時のコンピュータの性能が向上したことが、AlphaGoの勝利にはディープラーニングが利用されたことが大きく寄与しています。

● 第二次人工知能ブーム

　1980年代に起こった第二次人工知能ブームでは、コンピュータに「知識」が導入されました。その代表とも言える「エキスパートシステム」は、専門家（エキスパート）の判断をコンピュータが代行するもので、病気の診断や金

融サービスでの利益の最適化などに使われました。コンピュータから出されるいくつかの質問に答えていくことで、エキスパートシステムは最適な回答を導き出すのです。それを実現するためには、専門家の知識を与えておく知識ベースと、それをもとに判断を下すための推論エンジンがコンピュータに必要とされました。

　当時のアメリカでは、総収入に基づくランキング上位500位以内の会社のうち3分の2が日常業務にエキスパートシステムを導入したと言われるほど成功を収めました。

　しかし、専門家の膨大な知識をコンピュータに取り込むことが難しかったこと、人間には可能な曖昧な知識の取り扱いがコンピュータには難しかったことなどが理由で、エキスパートシステムの限界が徐々に明らかになっていきました。

　この場合も第一次ブームのときと同様、限定された状況で成功を収めた、と言うことができるでしょう。

　このエキスパートシステムの現代版と言えるのがIBMの人工知能であるWatsonです。2011年にアメリカのクイズ番組「ジェパディ!」で人間のチャンピオンに勝利したとき、Watsonは書籍2億ページ分のデータを知識として取り込んでいたといいます。この勝利にはやはりコンピュータの性能の向上が大きく貢献していると言えるでしょう。

　その後Watsonはディープラーニングの機能も取り込んで発展を続けています。

● 第三次人工知能ブーム

　そして、現在の人工知能ブームは３回目のものとなり、そのなかでディープラーニングは重要な役割を果たしています。

　第三次人工知能ブームが始まったタイミングは必ずしも明確ではありませんが、ヒントンという研究者のグループがディープラーニングに関連する論文を発表した2006年や、ディープラーニングを用いたシステムが画像認識のコンテストで他のシステムに大差をつけて勝利した2012年が、ブームのきっかけとして挙げられることが多いようです。

　15ページの図1-1の年表には、ディープラーニングを用いて囲碁を行うプログラムAlphaGoについて記されています。第三次人工知能ブームではそれ以外にも、写真や映像に何が映っているかを判定する画像認識、発話の音声からその内容を判定する音声認識、多言語間の翻訳などが取り扱われています。

　画像認識は人間の視覚に、音声認識や翻訳は人間の聴覚や言語処理に関わるものですから、第三次人工知能ブームではより人間の日常生活に密着した知能が対象となっていることがわかるでしょう。第一次、第二次ブームの人工知能に比べて適用範囲が広いと言えます。もちろん、第三次ブームでの人工知能に制約が全くないわけではありませんが、それが今後どこまで発展するのかに現在注目が集まっています。

1-2 ディープラーニングと脳科学およびニューラルネットワーク

●ニューラルネットワークとはなにか

1-1で述べたように、ディープラーニングとは現在の人工知能ブームを支える手法の一つです。そしてディープラーニングとは、**ニューラルネットワーク**という学問分野で2000年代から急速に発展している技術です。後に解説しますが、ニューラルネットワークとは、脳を構成する細胞（**ニューロン**）のモデルを複数つなぎ合わせてできるネットワークを指す用語です。

人工知能やディープラーニングに比べると、ニューラルネットワークという言葉には馴染みがないという方が多いかもしれません。そこでここではニューラルネットワークについて解説します。

ニューラルネットワークは脳科学の一つの部門とみなすことができます。脳科学とはその名の通り、生体の脳の動作原理を解明しようという学問分野です。次ページの図1-2に記したように脳科学にはさまざまな学問が関連していますが、便宜上「実験に関連する分野」と「工学的応用や理論化」の2つに分けて解説しましょう。

実験により脳の機能を解明する立場には、解剖学、電気生理学、分子生物学、心理学などの学問が関わっています。人間に対する心理実験だけではなく、ネズミ、ブタ、サルなどさまざまな動物が実験の対象となります。ブルーバックスなどの書籍で脳科学に親しんでいる方でしたら、

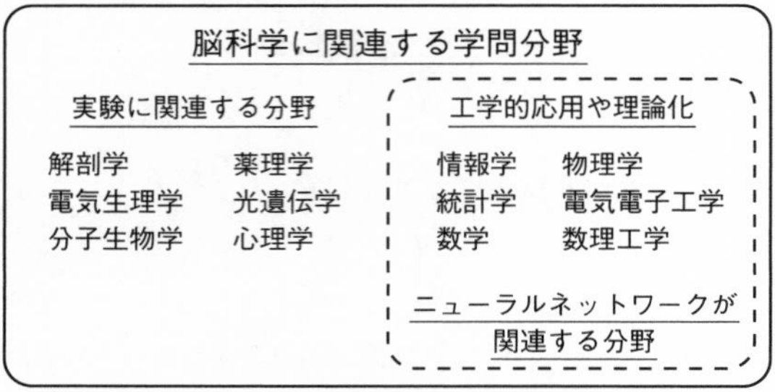

図1-2　ニューラルネットワークは脳科学の一分野としてとらえられる

脳科学に対してこちらの実験寄りのイメージをお持ちの方が多いのではないでしょうか。

　それに対し、**図1-2**のように情報学、統計学、数学などを用いて脳を解明しようという「工学的応用や理論化」を目指す分野がニューラルネットワークです。単純化して言えば、コンピュータや数学を用いて脳を理解しようという分野です。なお、**図1-2**でニューラルネットワークの境界を表す点線は便宜上のものだと考えてください。その理由は、たとえば点線内にある統計学は実験データの解析のために実験分野でも用いられるからです。

● **ニューラルネットワークの目指すもの**

　ニューラルネットワークはそれだけでも広い学問分野であり、さまざまな内容が取り扱われています。次ページの**図1-3**にはニューラルネットワークが目指すもののうち3つを紹介しました。

ニューラルネットワークが目指すものの例

- ・実験データの解析やモデル化

- ・脳に学んだ回路やコンピュータの作製（脳型コンピュータ）

- ・脳に学んだ情報処理の探究（記憶、画像認識など）
    ディープラーニングはここに属する

本書では以後この部分を
「ニューラルネットワーク」と呼ぶ

図1-3　ニューラルネットワークが目指すものの例

　1つめが「実験データの解析やモデル化」です。実験により得られたデータを統計的手法で解析しその意味を見出すことや、そのデータを再現するような数学的モデルを提案することを目指します。実験データが必要となりますので、実験分野の研究者と共同研究を行うことが多いです。

　2つめは、「脳に学んだ回路やコンピュータの作製」です。これは、現代のコンピュータとは異なる新しい動作原理のコンピュータを作る試みです。脳の動作原理に基づいたコンピュータは「脳型コンピュータ（ニューロコンピュータ）」と呼ばれます。こちらは「作ることにより脳を理解する」立場だと言えるでしょう。

　3つめが「脳に学んだ情報処理の探究」です。たとえば、脳がものを記憶する仕組みや、脳が視覚から外界を認識する仕組みを探究し、それを工学的に応用することを目指す分野です。そのとき、脳の働きを正確に再現することを目指す立場もあり得ますが、むしろ情報処理のエッセンスだけを脳から学び、そこから先は手法の性能向上を目指

す、ということも行われています。ディープラーニングはこの3つめの「脳に学んだ情報処理の探究」を目指す分野に属します。

　前ページの**図1-3**全体から見ると、この「脳に学んだ情報処理の探究」を目指す分野は「狭義の」ニューラルネットワークです。しかし、本書が取り扱うのはこの3つめの立場のみですので、以下ではこれをニューラルネットワークと呼ぶことにします。

● **ニューラルネットワークの歴史**

　ここからは、ニューラルネットワークの「脳に学んだ情報処理の探究」についての歴史を紹介します。それにより、ディープラーニングの位置づけがわかってくるでしょう。

　次ページの**図1-4**がニューラルネットワークの歴史のうち本書に関連する内容についての年表です。本書で解説する内容が記されていますので、15ページの**図1-1**の人工知能の歴史に比べると詳細な年表となっています。

　年表内のそれぞれの項目には本書の何章で紹介されているかも書き込まれています。そのため、本書を読み終えた後にもう一度振り返ってこの年表を眺めると内容がよくわかるでしょう。

　逆に言えば、本書のこの段階で**図1-4**のすべてを理解するのは困難です。そこで、ここでは「人工知能と同様にニューラルネットワークにもこれまで三度のブームがあった」ことを中心に概略を紹介することにします。

図1-4　ニューラルネットワークの歴史

● 第一次ニューラルネットワークブーム

　年表の起点には1943年のマカロックとピッツによる人工ニューロンモデルの提案を据えています。詳細は **2章** で解説されますが、これは脳を構成するニューロンを数学やコンピュータで取り扱うためのモデルが提案されたことを

示しています。この人工ニューロンモデルの考え方は、現在のディープラーニングでも基礎として使われています。このモデルを使うと、現在のコンピュータの基礎となっている論理演算を実現できることも示されました。

　このニューロンに**学習**機能をもたせ、論理演算や文字の認識などの「機能」をニューロンやニューラルネットワークが自動で獲得できるようにしたものが、1958年にローゼンブラットが発表した**パーセプトロン**です。パーセプトロンは人間が行う「認識」を行うことができることで大きな話題となり、第一次ニューラルネットワークブームが始まりました。

●ニューラルネットワークと人工知能

　ここで、パーセプトロンは人間が行う「認識」が可能なのだとすれば、「パーセプトロンは人工知能と言えるのではないか？」と考える方も多いでしょう。それは確かにその通りです。

　しかし、数理脳科学者の甘利俊一氏の言葉を借りれば、ニューラルネットワークと人工知能は「付いたり離れたりしながら」進展してきたということになります。言い換えれば、ニューラルネットワークと人工知能は一致しそうで一致しない歴史があった、ということになるでしょうか。

　それは、ニューラルネットワークは脳が行う情報処理を基礎にしているのに対し、人工知能は人間に似た知能の再現を目指すのであって、その動作原理が脳に似ているかどうかにはこだわらないからだと言えるでしょう。

● **第二次ニューラルネットワークブーム**

　さて、パーセプトロンは簡単な認識課題にしか適用できないとわかり、ブームは落ち着いていきます。その理由としては、当時のコンピュータの性能が低かったことと、ニューロンが機能を獲得するための「学習」がニューラルネットワークの内部（「隠れ層」といいます）のニューロンに適用できなかったことが挙げられます。

　1986年に隠れ層のニューロンを学習させるための仕組みである誤差逆伝播法が提案されると、第二次ニューラルネットワークブームが始まります。パーセプトロンと同様に文字の認識もできますし、英語のつづりからその発音を推測するモデルなどもうまれました。

　誤差逆伝播法は現在のディープラーニングでも利用されている重要な手法であり、本書でも詳しく解説します。また第二次ニューラルネットワークブームは、「機械学習」という新しい研究分野が発展するきっかけになるなど、実りの多いものでした。機械学習については**3章**で解説します。

　日本では、ニューラルネットワークとともに、「あいまい」を意味する「ファジィ」という概念がブームとなりました。それに応じてニューロ洗濯機やファジィ洗濯機が登場したことを覚えている方もいるかもしれません。ニューロ（neuro-）とはニューラル（neural）を接頭辞にしたものです。ファジィとは従来のコンピュータが行う0と1からなる論理だけではなく中間の状態も許すことを指します

が、ニューラルネットワークもそれに似て「人間に似た柔軟な判断を行う」という程度の意味で一般に受け入れられていたのでしょう。

　学問としてのニューラルネットワークでは、大規模な問題に対して学習が完了するまでに時間がかかることや性能が上がらないこと、最適な状態が得られる前に学習が止まってしまうことなどから、第二次ブームが沈静化していきました。

● 第三次ニューラルネットワークブーム

　そして、2000年代に入ると第三次ニューラルネットワークブームが始まります。そのきっかけは、人工知能と同じくディープラーニングの登場です。第二次ニューラルネットワークブームでの欠点が、ディープラーニングの登場によって解消されたのがブームの発端と言えるでしょう。

　ここで、23ページの**図1-4**の年表で着目してほしいことがあります。それは、年表中に「（6章）」と書かれている項目がさまざまな年代に登場していることです。**6章**は本書の最終章であり、ディープラーニングで高い性能を得ている手法が紹介されています。その手法を支える基礎が、ブームに関わりなく長きにわたり提案されてきたことが現在のディープラーニングブームを支えているということを**図1-4**の年表は示しています。

　年表中のそれぞれの項目が具体的に何を表しているのか、本書を通して学んでいきましょう。

●接近するニューラルネットワークと人工知能

　さて、ここまでの解説でニューラルネットワークと人工知能は、ディープラーニングをきっかけにどちらも三度目のブームを迎えていることをおわかりいただけたと思います。また、すでに述べたように「付いたり離れたりしながら」進展してきた2つの分野が、ディープラーニングをきっかけに接近していることにも気づかれたのではないでしょうか。

　人工知能はコンピュータによる知能の再現を目指すのでしたから、その仕組みが脳の動作原理に基づいている必要は必ずしもないのでした。しかし、知能の再現を追究すると自然と人間の脳の仕組みに似てくる、というのは興味深いことです。

　ただし、ニューラルネットワークおよびディープラーニングは脳の機能を参考にすることから始まっているとはいえ、すべてが脳と一致するわけではありません。たとえば、ニューラルネットワークの学習において重要な誤差逆伝播法は、実際の脳では実現できないと言われています。

　ですから、実際の人間の知能とニューラルネットワークおよびディープラーニングの類似は、少なくとも現時点では比喩程度にとらえておくのが良いでしょう。

⊩ 3 本書のサンプルファイルと Excelのセキュリティ設定

●演習プログラムによる数学の理解

　本書では、ディープラーニングを支える数学を理解するためにいくつかの演習プログラムを用意しています。数学についての書籍ですのでプログラムによる演習は必須ではありません。しかし、演習を体験するとそれらのプログラムが理解の助けとなることを実感いただけると思います。

●表計算ソフトウェアによる演習

　皆さんの中にはディープラーニングを実行するためのプログラムは、Python（パイソン）というプログラミング言語で記述されることが多いと聞いたことがある方もいるでしょう。しかし、本書ではPythonではなく、表計算ソフトウェアであるExcel上で動作するプログラム（**マクロ**といいます）を用いて演習を行います。

　PythonではなくExcelを用いる理由は、なるべくたくさんの方に本書および本書の演習を体験していただきたいからです。Pythonを用いた演習を行うためには、皆さんがお使いのPC上に、「Pythonの開発環境」、「ディープラーニング用ツール」などをやや面倒な作業を経てインストールしなければならず、さらに実行時にも「コマンド（文字による命令）によるプログラムの実行」などを必要とする場合があり、プログラミングに慣れていない方にはややハードルが高いのです。

　それに対しExcelによる演習ならば、Excelをインストール済みであればすぐに演習を始めることができます。すでにPythonの利用に慣れているという方もいらっしゃるでしょうが、Excel用マクロにはPythonではできないような演習を含めるよう努力しました。本書を読み終えた後、読者の方に「Excelによる演習も悪くないじゃないか」と感じていただけたならば、本書の試みは成功と言えるでしょう。

　なお、Excelをお持ちでない方のために、LibreOfficeという無料のオフィスソフトウェアで動作するマクロも用意しています。必要に応じてご活用ください。

● 演習ファイルのダウンロードと展開

　本書で用いる演習ファイルは、本書2ページに記されているサポートサイトからダウンロードすることができます。

　皆さんが普段お使いのPCでファイルdlbb-sample.zipをダウンロードしてください。このファイルは複数の演習ファイルを1つにまとめた圧縮ファイルとなっていますので、利用前に展開する必要があります。Windowsをお使いの方は、ファイルをそのままダブルクリックしても展開されないことが多いので、次ページの図1-5のようにファイルをマウスで右クリックしてメニューから「すべて展開」を選ぶようにしてください。その後に現れる画面で「展開」ボタンをクリックすると演習ファイルが展開されます。

図1-5　Windowsで圧縮ファイルを展開する

　dlbb-sample.zipを展開すると「1Excel」、「2Libre」、「3Libre-RasPi」というフォルダが現れます。その名が示す通り、「1Excel」にはWindowsまたはmacOS用Excelで動作する演習ファイルが含まれています。「2Libre」にはLibreOfficeというオフィスソフトウェアで動作する演習ファイルが含まれています。「3Libre-RasPi」はRaspberry Pi（ラズベリーパイ）というコンピュータ上のLibreOfficeで動作させるための演習ファイルが含まれています。Raspberry Pi用のLibreOfficeには、表計算シート上でグラデーション表示をする機能に不具合があるようなので、専用のファイルを用意しました。皆さんの環境に合ったファイルを用いてください。

　それぞれのフォルダ内に含まれる演習ファイルの使い方は、**2章**以降を参照ください。

　また、LibreOfficeのインストールと設定の方法は巻末の**付録A**にて解説しておりますので必要に応じて参照してください。

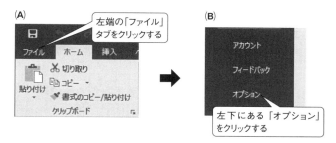

図1-6　WindowsでExcelのオプションを開く手順

●Excelのマクロの設定の確認

　本書の演習ファイルはExcelのマクロという機能を用いており、マクロの設定が適切でないと動作しません。多くの場合はデフォルトの設定で問題ないはずですが、念のためここでマクロの設定を確認しましょう。

　まず、Windows版の手順を紹介します。図1-6(A)のようにExcelを起動し、左端の「ファイル」タブをクリックします。現れた画面の左下に図1-6(B)のように「オプション」という文字が存在しますので、クリックします。

　すると、次ページの図1-7のように「Excelのオプション」という画面が開きますので、左側の「セキュリティセンター」（または「トラスト　センター」）をクリックし、次に右側の「セキュリティ　センターの設定」（または「トラスト　センターの設定」）ボタンをクリックします。

　すると、次ページの図1-8のように「セキュリティ　センター」（または「トラスト　センター」）という画面が開きますので、左側で「マクロの設定」をクリックします。

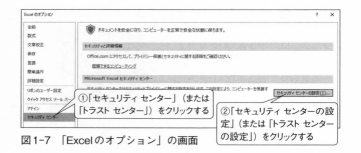

図1-7 「Excelのオプション」の画面

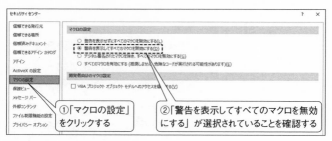

図1-8 マクロの設定

すると右側に図1-8のような「マクロの設定」が現れます。

ここで、マクロの設定の選択肢のうち、2番目の**「警告を表示してすべてのマクロを無効にする」**が選ばれていることを確認してください。そうなっていれば、これまでの設定画面は「OK」ボタンを押して閉じて構いません。

「警告を表示してすべてのマクロを無効にする」が選択されていると、ファイルを開いたときはマクロが無効になっており、警告とともに現れる「マクロの有効化」ボタンを

クリックすることでマクロを実行可能になります。それが本書で期待する動作です。

　なお、前ページの**図1-8**のマクロの設定の選択肢で1番目および3番目が選択されていた方は、2番目の「警告を表示してすべてのマクロを無効にする」をクリックしてから設定を閉じましょう。もし、学校や職場などでマクロの設定を自由に変更できないという方は、コンピュータの管理者に相談してください。

　なお、macOS版Excelでマクロの設定を開くためには、下記の順に操作してください。

- Excelを起動し、メニューバーで「Excel」→「環境設定」を選択
- 現れた画面で「セキュリティとプライバシー」または「セキュリティ」を選択

　すると、**図1-8**に相当するマクロの設定が現れます。選択肢は3つとなっていますが、**図1-8**と同様に「警告を表示してすべてのマクロを無効にする」が選択されていれば問題ありません。

● まとめ

　以上で演習を実行するための準備が整いました。**2章**からディープラーニングを支える数学を学んでいきましょう。

ニューロンの働きを ベクトルで理解しよう

2章

2-1 本章で学ぶ内容

　本章では、ニューラルネットワークの構成要素であるニューロンの働きを、高校で学ぶ「ベクトル」という概念で理解します。高校数学を思い出しながら、ディープラーニングでも基本単位となるニューロンについて少しずつ慣れていきましょう。

　本章で用いる数学の知識と高校で学ぶ数学の対応を示したのが次ページの**表2-1**です。

　執筆時点では高校で学ぶ数学には数学Ⅰ、数学Ⅱ、数学Ⅲ、数学A、数学B、数学活用の6科目があります。どの科目をどの学年で学ぶかは高校や進学コースによって異なります。

　また、**表2-1**の「ベクトルおよび内積」の項目を見ていただくとわかるように、高校で学んだ時期によっても、その学ぶ内容が異なることがあります。ですので、**3章**以降も登場するこの表はあくまで目安であるとお考えください。

　また、本章に登場する数式で用いられる文字をすべて紹

表2-1　本章で用いる数学の知識と高校数学の対応

本章で用いる数学の知識	高校で取り扱われる科目	本章で登場する箇所
数列における和記号（Σ）	数学B	2-3……43ページ
指数関数	数学Ⅱ	2-3……48ページ
無限大への極限	数学Ⅲ	2-3……50ページ
グラフの平行移動	数学Ⅰ	2-3……53ページ
ベクトルおよび内積	数学B（2018年3月に告示された指導要領では数学C）	2-4……55、60ページ
三角比	数学Ⅰ	2-4……65ページ
三角関数および弧度法	数学Ⅱ	2-4……66ページ
図形と方程式	数学Ⅱ（直線）および数学B（平面）	2-4……69ページ

表2-2　ニューロンを数式で表現するために必要な文字

n	入力の個数およびそれに対応するシナプスの個数
x_i	i番目の入力の値
w_i	i番目のシナプスの重み
b	ニューロンのバイアス
u	ニューロンの活性
y	ニューロンの出力
$\boldsymbol{x}$	入力ベクトル
$(x_1, x_2, ..., x_n)$	入力ベクトルの成分表示
$\boldsymbol{w}$	重みベクトル
$(w_1, w_2, ..., w_n)$	重みベクトルの成分表示

介したのが表2-2です。これらは2-3以降で用いられます。このように、その章で新たに利用することになる文字は章の冒頭に一覧表を設けて紹介します。文字の意味を忘れてしまったときは必要に応じて章の冒頭に戻って確認すると良いでしょう。

2-2 ニューロンとは何か

●脳における情報伝達

ニューラルネットワークで用いられるニューロンは、生体の脳に存在する細胞をモデル化して数式で表現したものです。ですから、まずは生体の脳におけるニューロンについて学びましょう。

ニューロンとは生体の脳を構成する細胞で、**神経細胞**とも呼ばれます。人間の脳には1000億個程度のニューロンがあると言われています。ニューロンは電気信号を生成することができ、その電気信号を周囲にある別のニューロンに伝えることができます。ニューロン同士が電気信号を伝達しあうことで、情報伝達および情報処理が行われます。ニューロンの動作は細胞ごとに独立に（並列に）行われますから、脳は生体がつくる巨大な並列コンピュータであると考えることができます。

人間の脳における情報伝達のイメージを示したのが次ページの**図2-1**です。人間が目を通して光を感知するとき、光を電気信号に変換するニューロンが網膜にある視細胞です。これは光受容細胞とも呼ばれ、人間にとっての光センサに相当します。視細胞で生成された電気信号はさまざまな種類のニューロンにより伝達されていきます。**図2-1**では神経節細胞と呼ばれるニューロンを通して電気信号が網膜を出発し、視床という部位にある外側膝状体を経由して後頭部の大脳皮質に存在する視覚野に到達することが示されています。

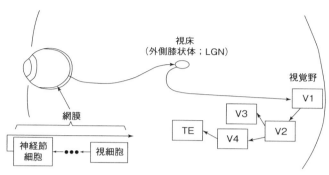

図2-1　脳において視覚情報が伝達されるイメージ

　視覚野は一次視覚野と呼ばれるV1からはじまり、高次視覚野であるV2、V3、V4、……へと信号が伝達され処理されていきます。視覚情報がこれらの経路を通してどのように「処理」されるのかは今後の章でイメージをつかむとして、ここでは情報伝達を担うニューロンについてもう少し詳しく見ていきましょう。

● **ニューロンによる情報伝達**

　ニューロンは、その存在する場所などによってさまざまな種類があります。次ページの**図2-2**(A)はV1に存在する典型的なニューロンをイメージして描いた図です。細胞核をもった細胞体が中心に描かれており、他のニューロンからの入力は左側から加わり、このニューロンが出力した信号は右側に伝達されていく、という状況が示されています。

　他のニューロンとの接合部分を**シナプス**といいます。シ

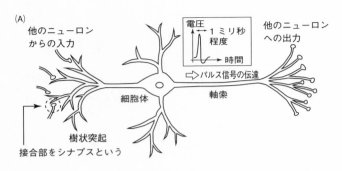

(A) 他のニューロンからの入力

電圧 1 ミリ秒程度 時間

他のニューロンへの出力

パルス信号の伝達

細胞体 軸索

樹状突起

接合部をシナプスという

(B)

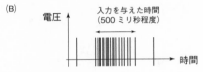

電圧

入力を与えた時間（500 ミリ秒程度）

時間

図2-2 (A)生体に存在するニューロンのイメージ図。囲み内はこの
　　　ニューロンが生成する活動電位のイメージ図
　　　(B)視覚刺激を与えたときにニューロンの発火頻度が上昇す
　　　る様子

ナプスにおいて２つのニューロンは物理的にはつながって
おらず、シナプス間隙という20ナノメートル（1ナノメー
トルは10億分の1メートル）ほどのすき間で分かれていま
す。他のニューロンから伝達されてきた電気信号がこのシ
ナプスに到達するとシナプスは神経伝達物質と呼ばれる化
学物質をシナプス間隙に放出し、中央のニューロンがそれ
を受け取ります。この受け取り部は主に**樹状突起**と呼ば
れる部分にあり、そこで再び電気信号に変換されます。そ
の電気信号は樹状突起上を伝わり細胞体で加算されます。
加算された電気信号が十分大きいとき、このニューロンは

図2-2(A)の囲み内に示されたような1ミリ秒程度の幅をもったパルス状の電気信号を生成します。これを**活動電位**（アクションポテンシャル）と呼びます。また、活動電位が生成されることを、このニューロンが「**発火した**」といいます。活動電位は軸索と呼ばれるケーブル状の部位を通って、別のニューロンへと伝わっていきます。

● **外部入力に対するニューロンの応答**

　ここまでは一つの活動電位の生成と伝達の流れを解説しました。ここでは、外部からの刺激に対してニューロンがどのように応答するかを簡単に見ておきましょう。

　生体の目に何か映像を見せることで視覚刺激を与えるとします。たとえば、縞模様や円などの抽象的な図形を500ミリ秒間だけ見せるのです。うまくニューロンを選ぶと、ニューロンの電気的な状態が**図2-2(B)**のように観察されます。図中の縦棒は**図2-2(A)**の囲みに示したパルス状の活動電位を示しています。視覚刺激が提示されている間のみ、ニューロンの発火する回数が増えることがわかります。一定時間内におけるニューロンの発火回数を**発火頻度**といいます。このように、入力に対して発火頻度が上昇したとき「ニューロンが入力に応答した」と考えます。

● **人工ニューロン**

　以上の性質をもったニューロンを数学で取り扱えるようモデル化します。

　最も早いニューロンのモデルは1943年に神経生理学者

のウォーレン・マカロックと論理学者のウォルター・ピッツが提案したものです。彼らのモデルをベースとして、現代でも使われているニューロンモデルについて解説していきます。なお、モデル化されたニューロンのことを、生体のニューロンとは違うという意味で**人工ニューロン**と呼ぶことがあります。同様に**人工ニューラルネットワーク**という呼び方もあります。以後本書ではモデル化されたニューロンのことを「ニューロン」と呼ぶこととし、生体のニューロンを指すときは混同しないようその都度注釈を加えるものとします。

図2-3(A)が本書で以後用いられるニューロンです。他のニューロンからの入力は左側から伝達され、対象となるニューロンにシナプスを通して与えられます。生体のニューロンには樹状突起がありましたが、図2-3(A)のニューロン

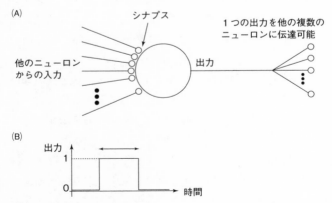

図2-3 (A)人工ニューロン
(B)刺激を与えたときに人工ニューロンが1を出力する様子

では細胞体に直接入力が加わるイメージです。加算された入力が十分大きければ、ニューロンは出力を次のニューロンへ伝えます。

　マカロックとピッツのニューロンでは、ニューロンの出力は前ページの図2-3(B)のように発火頻度が小さいときは0、発火頻度が大きいときは1としていました。図2-3(B)は生体のニューロンにおける図2-2(B)に対応しています。活動電位一つ一つをモデル化しているわけではなく、発火頻度が大きい状態を1としていることがわかりますね。ニューロンの出力が1（全）か0（無）の値しかとらないこの性質のことを「**全か無か**」と呼びます。

　ただし、現在使われているニューロンでは出力は「0か1か」ではなく「0と1の間の実数」とすることが多くなっています。このことはニューロンを数式で表現したときすぐに確認できるでしょう。

2-3　ニューロンを数式で表現しよう

● ニューロンで用いられる変数

　それでは、ニューロンを数式で表してみましょう。まず必要な変数を定義する必要があります。本章で用いる変数はすでに35ページの表2-2で紹介しました。それらのうちまず必要な変数をニューロン上の対応する位置に記したのが次ページの図2-4です。これらを適宜参照しながら以下の解説を理解していきましょう。

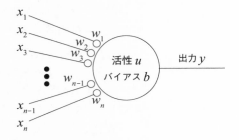

図2-4　本章で用いる変数の解説

●ニューロンへの入力 x_i

　まず、ニューロンにはn個の**入力**が加わり、それぞれの入力の値はx_i $(i = 1, 2, \cdots, n)$であるとします。この入力x_iが他のニューロンの出力した信号であると考える場合、**2-2**の「**●人工ニューロン**」（39ページ）で解説したように、通常「0と1の間の実数」と考えます。ただし、ニューロンの種類によっては「0以上の実数」になることもあります。また、この入力x_iが**2-2**の「**●外部入力に対するニューロンの応答**」（39ページ）で示した例のように目から入る視覚刺激の場合、視覚情報の明暗を表す量となり、多くの場合0以上の整数となります。他にも、x_iが負の数となることも許されます。ですから、x_iは取り扱う問題によってさまざまな値を取りうる、とここでは考えておきましょう。

●ニューロンの活性 u の計算

　次に、i番目のシナプスの**重み**w_i $(i = 1, 2, \cdots, n)$、ニュー

ロンの**バイアス**b、ニューロンの**活性**（activation）uについて解説します。これらの間に成り立つ関係式を先に記しましょう。

$$u = w_1 x_1 + w_2 x_2 + \cdots + w_n x_n + b$$
$$= \sum_{i=1}^{n} w_i x_i + b \qquad \cdots(2\text{-}1)$$

　これは、ニューロンの活性uという量が、入力x_iに重みw_iを掛けてiを1からnまで変えながらすべて足し算し、最後にバイアスbを加えたものとして計算される、ということを示しています。高校数学の数列で学んだ和記号Σを用いて表現できることにも注意しましょう。

　なお、活性uは「入力の重みつき総和」や「入力の線形和」などと呼ばれることもあります。後者の呼び方は、変数x_iに数字（ここでは重みw_i）を掛けて足し合わせることを一般に「**線形和**」と呼ぶことに起因しています。uの呼び方にはさまざまなものがありますが、本書では巻末の参考文献［4］にならい「活性」と呼ぶことにします。

　(2-1)　式が、**2-2**の「**●ニューロンによる情報伝達**」（37ページ）で述べた「他のニューロンからの電気信号が細胞体で加算される」ことを式で表したものです。

●ニューロンの活性uの計算の解釈と
シナプスの重みw_iの意味

　それでは、**(2-1)　式**の中で重みw_iとバイアスbは何を表しているでしょうか。それを順に解説しましょう。

重みw_iの働きを理解するために、ニューロンは入力x_iにより多数決の計算を行うものだと考えてみましょう。まず、重みw_iがすべてのiで1であるとし、入力x_iは、ニューロンを発火させるかどうかを決めるために0か1かの票を投ずるものとします。いま、重みw_iはすべて1ですから、1である入力x_iが多いほど（2-1）式により活性uが大きくなり、ニューロンが発火する確率が高くなります。このように考えるとき、重みw_iがすべて1である状況は、すべての票が平等であることを意味します。

　次に、あるシナプスでは重みw_iが2であるとしましょう。そうすると（2-1）式により、対応する入力x_iはこのシナプスを通して2票を投じたのと同じ効果を活性uに与えます。すなわち、重みw_iとは投票の不平等さを表現していると言えます。重みw_iが大きくなればなるほど活性uに対する影響は大きくなりますし、逆にw_iが0ならたとえ入力x_iが1でもuには影響を与えない、ということになります。

　さらに、重みw_iは負の値を取ることができます。$w_i = -1$である場合に$x_i = 1$とすると、活性uに対して負の票を投ずることになり、その結果ニューロンは発火しにくくなります。

　以上の解説は重みw_iが整数と考えましたが、実際には小数点以下のある実数値をとることができます。

　このように、重みw_iはさまざまな値をとることができます。生体のニューロンで重みw_iを解釈すると、シナプスからシナプス間隙に放出される神経伝達物質の量が候補

として挙げられます。これは**2-2**の「**●ニューロンによる情報伝達**」（37ページ）で紹介したものです。シナプスから放出される神経伝達物質の量が増え、情報伝達の効率が上がることで重みw_iが大きくなると考えることができます。

●ニューロンのバイアスbの解説

次に、バイアスbの解説です。43ページの（2-1）**式**からわかるように、すべての投票の総和にさらに加えられるのがバイアスbです。42ページの**図2-4**に示されているようにバイアスbはニューロンがもつ量ですから、bが正の場合はこのニューロンはもともと発火しやすいニューロンであり、bが負の場合は発火しにくいニューロンである、ということを表します。

●ニューロンの出力yの解説

以上のように計算された活性uを**活性化関数**と呼ばれる関数$f(u)$に与えた結果がニューロンの出力yです。

$$y = f(u) \qquad \cdots (2\text{-}2)$$

生体のニューロンの場合は**図2-2**(B)のようにニューロンの発火頻度が上昇し、それがモデルでは**図2-3**(B)のように0（発火しない）か1（発火する）かで表現されるのでした。その0と1に相当するのが出力yです。

3章以降で取り扱う応用例を先回りして紹介しますと、この0と1の出力は、与えられた入力を2種類に分類する

ために用いられます。たとえば、1が出力されたとき「入力された画像は数字2である」とみなし、0が出力されたとき「入力された画像は数字2ではない」とみなす、のように使われます。

活性化関数 $f(u)$ には用途に応じてさまざまな種類のものがあります。典型的なものをまとめたのが図2-5です。

● 活性化関数1：ヘビサイドの階段関数

図2-5(A)は**ヘビサイドの階段関数**と呼ばれるもので、数式では次のように場合分けを用いて定義されます。

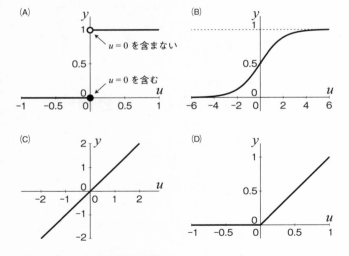

図2-5　さまざまな活性化関数
　　　 (A)ヘビサイドの階段関数、(B)ロジスティック関数、(C)恒等関数、(D)ReLU

$$y = f(u) = \begin{cases} 0 \ (u \leq 0) \\ 1 \ (u > 0) \end{cases} \qquad \cdots (2\text{-}3)$$

　ニューロンは0か1かしか出力しませんのでこれは40ページの図2-3(B)のような信号を出力できる関数です。これが1943年にマカロックとピッツが提案したモデルで使われた活性化関数です。

　ただし、この関数には「$u = 0$で値が0から1に不連続にジャンプする」という性質があり、それが**3章**で学ぶ「学習」に都合が悪いため現在ではあまり使われません。

● **活性化関数2：ロジスティック関数**

　ヘビサイドの階段関数の代わりに現在多く使われるのは図2-5(B)の**ロジスティック関数**です。uが変化してもyに不連続なジャンプが見られないことがわかります。この点が**3章**以降でニューラルネットワークの学習を考える際に重要になります。不連続な値のジャンプがないと、関数のどの点でも微分ができる（接線を引ける）からです。

　なお、この関数を**シグモイド関数**と呼ぶこともありますが、「シグモイド」とは「S字状の」という意味です。確かに、前ページの図2-5(B)はつぶれたS字をしていますね。ですから、ロジスティック関数以外の関数でもそれがS字状をしていれば「シグモイド関数」と呼ばれることがあることに注意しましょう。

　ロジスティック関数は次の数式で定義されます。

$$y = \frac{1}{1 + e^{-u}}$$

$$= \frac{1}{1 + \exp(-u)} \qquad \cdots (2\text{-}4)$$

　いきなり複雑な式が登場したと感じた方もいるかもしれ
ません。この式の意味をもう少し詳しく説明しましょう。

● ネイピア数と指数関数

　(2-4) 式で e^{-u} と書かれているものは、**指数関数**と呼ばれ
る関数です。その中に含まれる e は**ネイピア数**と呼ばれる
無理数で

$$e = 2.718 \cdots \qquad \cdots (2\text{-}5)$$

という値をもちます。そして e^{-u} の「$-u$」の部分は**指数**と
呼ばれます。「x の 2 乗 (x^2)」の 2 と同じように「何乗
か」を表す量が指数です。また、たとえば「10^{-u}」などの
ように整数10ではなく「e^{-u}」のように無理数 e が用いられ
る理由は、「それにより微分を簡単に計算できるから」な
のですが、本章ではその事実を使いません。

　また、**(2-4) 式**では「e^{-u}」を「$\exp(-u)$」とも表記して
います。expは英語で「指数の」を意味する exponential
の略です。この表記を用いると、指数の部分の式が複雑に
なったときでも、指数の文字を大きく書けるというメリッ
トがあり、大学以降の数学ではしばしば使われますので、
本書でも今後用います。

● **指数関数のグラフ**

さて、指数関数をグラフに描いたのが図2-6です。指数が「u」のときが図2-6(A)、指数が「$-u$」のときが図2-6(B)であり、これらは左右対称となっています。前ページの **(2-4) 式**のロジスティック関数で用いられているのは図2-6(B)の方ですね。指数が「u」のときは**4章**でソフトマックス関数と呼ばれる関数を定義するときに用いられますのでここで紹介しました。また、**図2-6**(A)と(B)の両方のグラフから、$u = 0$のとき $\exp(0) = 1$（e の0乗が1）であることも読み取れますので覚えておきましょう。

● **日常でも登場する指数関数**

なお、指数関数は日常でも使われます。**図2-6**(A)における、uが正の領域でのyの急激な増加は、日常の言葉で「ねずみ算式に増える」と言ったときの増え方です。感染症の初期の感染者数の変化にも類似しています。

また、**図2-6**(B)におけるuが正の領域でyは少しずつ減少しています。この減り方は、放射線を出す放射性物質の

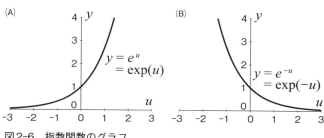

図2-6　指数関数のグラフ

減り方に類似しています。「放射性物質の半減期」という言葉を聞いたことがある方も多いと思いますが、これは前ページの図2-6(B)のように放射性物質が減少するとき、放射性物質が半減するのにかかる時間を表しています。

●ロジスティック関数の解説

この指数関数を用いて48ページの（2-4）式のロジスティック関数が定義されているのでした。ここでは図2-7に記されている3点を理解しておきましょう。

まず、$u \to -\infty$（図2-7のグラフの左側の極限）でロジスティック関数が0に収束することです。「0に収束」とは簡単に言えば0に無限に近づいていくことを示します。これは、$u \to -\infty$で$\exp(-u) \to \infty$となること（図2-6(B)のグラフの左側の極限）を用いることで理解できます。数式の極限を用いると以下のように計算されます。分母が無限に大きい分数は0に近づくという事実を使っていることに注意

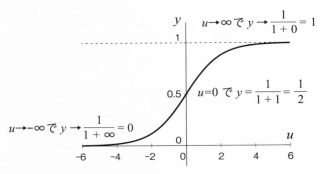

図2-7　ロジスティック関数の解説

してください。

$$\lim_{u \to -\infty} \frac{1}{1 + \exp(-u)} = \frac{1}{1 + \infty} = 0 \qquad \cdots(2\text{-}6)$$

次に、$u = 0$でロジスティック関数の値が0.5となること
に注意してください。これは、**2-3**の「●**指数関数のグラ
フ**」（49ページ）で注意した$\exp(0) = 1$を使えば下記のよ
うに確かめられます。

$$f(0) = \frac{1}{1 + \exp(0)} = \frac{1}{1 + 1} = \frac{1}{2} \qquad \cdots(2\text{-}7)$$

最後に、$u \to \infty$（前ページの**図2-7**のグラフの右側の極
限）でロジスティック関数は1に収束します。これは、
$u \to \infty$で$\exp(-u) \to 0$のように$\exp(-u)$が0に収束する（49
ページの**図2-6**(B)のグラフの右側の極限）を用いることで
以下のように確認できます。

$$\lim_{u \to \infty} \frac{1}{1 + \exp(-u)} = \frac{1}{1 + 0} = 1 \qquad \cdots(2\text{-}8)$$

● 活性化関数3：恒等関数

　ニューロンの活性化関数の残りについても解説しておき
ましょう。まず、46ページの**図2-5**(C)は**恒等関数**$y = f(u)$
$= u$です。これは中学校で学んだ(x, y)平面上の直線$y = x$と
同じ形をしています。ニューロンの活性uをそのままyと
して出力する関数です。この関数は、ニューロンに関数な

どの入出力関係を再現させる場合（**3章**ではこれを「回帰」として紹介します）に用いられます。

● **活性化関数4：ReLU**

46ページの図2-5(D)はReLU（Rectified Linear Unit）と呼ばれます。ReLUは略語なので読み方に正解はないと思われますが、「レル（レルー）」と読まれることが多いようです。式で書けば下記のようになります。

$$y = f(u) = \begin{cases} 0 \ (u \leq 0) \\ u \ (u > 0) \end{cases} \qquad \cdots (2\text{-}9)$$

ReLUは、現在のニューラルネットワークでは隠れ層というネットワーク内部のニューロンの活性化関数として広く使われています。**4章**で改めて紹介します。

● **活性化関数5：ソフトマックス関数**

ソフトマックス関数という活性化関数も現在広く使われています。これは2種類以上の対象を分類する場合、たとえば0から9の10種類の数字をそれぞれ分類する場合に用いられます。**3章**ではこれを「多クラスの分類」として改めて紹介します。なお、ソフトマックス関数はグラフとして表示できないので図2-5には含めていません。

● **バイアス b のグラフでの理解**

ニューロンで用いられる数式と文字を一通り解説しました。活性化関数をグラフで表示しましたので、グラフを用

いた考え方に少しずつ慣れてきたのではないかと思います。そこで、ニューロンのバイアスbもグラフ上で理解しておきましょう。

そのために、ニューロンの活性uを次式のように入力の線形和の部分u_0とバイアスに分けて考えてみましょう。

$$u = u_0 + b \qquad \cdots(2\text{-}10)$$

u_0は次式で定義されます。

$$u_0 = \sum_{i=1}^{n} w_i\, x_i \qquad \cdots(2\text{-}11)$$

このとき、（2-10）式を活性化関数$y = f(u)$に代入すると次式のようになります。

$$y = f(u_0 + b) \qquad \cdots(2\text{-}12)$$

（2-12）式を踏まえ、活性化関数をu_0とyのグラフとして描くと図2-8のようになります。ロジスティック関数を例として描きました。高校の「グラフの平行移動」で学んだ

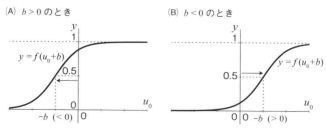

図2-8　バイアスbによるロジスティック関数の平行移動

ように、$y = f(u_0 + b)$ のグラフは $y = f(u)$ を横軸方向に $-b$ だけ平行移動したグラフとなります。「グラフの平行移動」は、高校の数学 I で放物線の位置を移動する際に学んだことを覚えている方も多いでしょう。

前ページの図2-8(A)が $b > 0$ のときの $y = f(u_0 + b)$ のグラフです。平行移動する量が $-b < 0$ のように負となりますので、グラフが左に平行移動しています。これをニューロンの働きとして理解すると、ほかのニューロンからの入力の線形和が0（$u_0 = 0$）のときでも、出力が1に近い値になることを表します。すなわち、正のバイアス b により発火しやすいニューロンとなっているわけです。

一方、$b < 0$ のときの $y = f(u_0 + b)$ のグラフが図2-8(B)です。この場合、平行移動する量が $-b > 0$ のように正となるため、グラフが右に平行移動します。そうすると、$u_0 = 0$ のときに出力が0に近い値になります。さらに、u_0 が $-b$ を超えたときにはじめて出力が1に近い値となることもわかります。これは、負のバイアス b により発火しにくいニューロンになっていることを意味します。このとき、$-b$ を θ と書き、閾値（いき値、しきい値）と呼ぶことがあります。図2-8(B)に示されているように、このしきい（境界）を超えないと出力が1に近い値にならない、という意味です。

2-4 ニューロンをベクトルで理解しよう

ここまでの知識で、1つのニューロンが入力に対してど

のような値を出力するかを理解できました。しかし、それだけではニューロンの「役割」までは理解できません。たとえば、**3章**ではニューロン1つがもつ「データの線形分離を行う」という性質について学びます。この概念を理解するには、ニューロンの働きをベクトルにより理解することが不可欠です。ここからはそれを学んでいきましょう。

● **ベクトルとは**

　高校では、**ベクトル**は向きと大きさをもった量であると学びます。たとえば、**図2-9**(A)に2本の矢印が描かれています。これらはそれぞれ向きと大きさをもっていますので、ベクトルの例となっています。高校では、ベクトルを文字で表す際に$\vec{x}, \vec{y}$のように変数の上に右向きの矢印を記して表現しました。しかし、大学以降では**図2-9**の中で使われている$\boldsymbol{x}, \boldsymbol{y}$のように、太字で表された文字をベクト

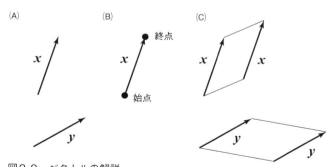

図2-9　ベクトルの解説
　(A)ベクトルの例、(B)ベクトルの始点と終点、(C)平行移動しても同じベクトルを表すことの解説

ルとして表現することが増えますので、本書でもそれに従います。

また、前ページの図2-9(B)に示されているようにベクトルを表す矢印の出発点をベクトルの**始点**、矢印の先端をベクトルの**終点**と呼びます。さらに、ベクトルはその位置が変わっても変化しないものと考えます。図2-9(C)にはベクトルxとyを平行移動したベクトルが描かれていますが、平行移動後のベクトルも変わらずxとyであるというわけです。

ベクトルは、高校では図形問題を解く際に多く使われました。たとえば三角形の1辺をベクトルで表して問題を解く、などです。また、物理を学んだ方ならば、ある物体に働く力（重力やひもで引っ張られる力など）がベクトルで表されることを覚えている方も多いでしょう。

● ベクトルの3つの演算

ベクトルに対して次ページの図2-10に示された3つの計算、すなわち和、差、スカラー倍が定義されます。順に見ていきましょう。

図2-10(A)で解説されているのが、2つのベクトルxとyの和$x + y$です。これはxとyを始点が共通となるよう配置したとき、「2つのベクトルを2辺とする平行四辺形の対角線がなすベクトルのうち、x, yと始点が共通なもの」として図のように理解できます。

図2-10(B)で解説されているのが、2つのベクトルxとyの差$y - x$です。これは、xとyを始点が共通となるよう配

置したとき、図のようにxの終点からyの終点へ引いた矢印として理解できます。

　図2-10(C)に示されているのがベクトルのスカラー倍ですが、これには少し解説が必要です。ベクトルは向きと大きさをもつ量でしたが、それに対して我々が通常用いる数は**スカラー**と呼ばれベクトルと区別されます。なお、本書ではスカラーとして複素数を考えず、実数しか取り扱いません。ですから、ベクトルのスカラー倍とは2倍、3倍、……のようにベクトルを実数倍することを表します。

　図2-10(C)に示したように、スカラーaが1より大きければaxはxの大きさを拡大したベクトルとなります。aが0と1の間にある場合axはxの大きさを縮小したものとなり、aが負の数の場合はxの向きを反転したベクトルとなることも図2-10(C)から読み取れます。また、axと書いたときaはスカラーですので細い文字で、xはベクトルですから太い文字で書かれることにも注意しましょう。

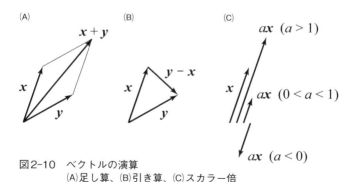

図2-10　ベクトルの演算
　　　　(A)足し算、(B)引き算、(C)スカラー倍

●ベクトルの成分表示と座標空間

　上で述べたベクトルは、その存在する次元を決めると座標空間と対応づけることができます。高校で学んだのは、2次元平面に存在するベクトルと3次元空間に存在するベクトルです。

　ここでは2次元のベクトルで解説します。図2-11(A)のように、2次元の座標平面上で、原点を始点とし点(1, 2)を終点とする矢印を引いたとき、それがベクトル(1, 2)です。これを**ベクトルの成分表示**といい、さらにこの例での数値1および2をベクトルの**成分**といいます。

　なお、ベクトルはどこを始点にしても変わらないのですから、図2-11(A)で点(3, 2)を始点に描いたベクトルもやはりベクトル(1, 2)となることに注意しましょう。

　ベクトルの成分表示を用いて前ページの図2-10の演算を計算することができます。2つのベクトル$x = (x_1, x_2)$と

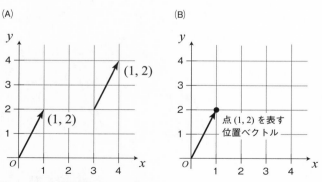

図2-11　座標平面上のベクトル
　　　　(A)ベクトル(1, 2)、(B)点(1, 2)の位置ベクトル

$y = (y_1, y_2)$ に対して57ページの**図2-10**の演算は下記のように計算されます。

$$x + y = (x_1 + y_1, x_2 + y_2) \qquad \cdots(2\text{-}13)$$

$$y - x = (y_1 - x_1, y_2 - x_2) \qquad \cdots(2\text{-}14)$$

$$ax = (ax_1, ax_2) \qquad \cdots(2\text{-}15)$$

ここでは2次元平面上のベクトルで解説しましたが、3次元空間上のベクトルの場合も、成分の個数が2個から3個に増えるだけで同様の計算ができます。

なお、ベクトルを用いて座標平面や座標空間の1点を表すことがあります。たとえば、前ページの**図2-11**(B)のように点(1, 2)を表すためにベクトル(1, 2)を用いる、という場合です。この場合のベクトルの使い方を**位置ベクトル**といいます。点(1, 2)は移動することで別の点となってしまいますから、位置ベクトルの始点は常に座標の原点Oでなければならないことが通常のベクトルと異なります。ニューロンをベクトルで表記する際には**図2-11**(A)と(B)の両方の考え方を用いますので頭にとどめておきましょう。

● **入力と重みをベクトルで表記**

ベクトルの復習が続いていますが、ここでニューロンにおいてどの部分にベクトルが使われるかを紹介しましょう。ニューロンにはn個の入力x_i ($i = 1, 2, \cdots, n$)と、その入力に対応する重みw_i ($i = 1, 2, \cdots, n$)があるのでした。これ

らをそれぞれ下記のようなベクトルxとwで表します。

$$x = (x_1, x_2, \cdots, x_n) \qquad \cdots(2\text{-}16)$$

$$w = (w_1, w_2, \cdots, w_n) \qquad \cdots(2\text{-}17)$$

どちらも成分がn個ありますから、これらはn次元空間に存在するn次元ベクトルです。

これらは成分がn個あるからn次元ベクトルと呼ばれるだけであり、n次元空間やn次元ベクトルのことを必ずしも頭の中にイメージする必要があるわけではないことにご注意ください。筆者を含む多くの人にとって、頭の中でイメージできるのは3次元以下の空間だけでしょう。ただし、イメージできないながらも、2次元平面や3次元空間と同様にn次元空間が存在することおよびその空間中にベクトルxとwが存在することは認めていただいたうえで先に進みます。

なお、58ページの図2-11に関連して、入力を表すベクトルxはn次元空間の位置ベクトル（図2-11(B)）として、重みを表すベクトルwはn次元空間で位置によらず方向を表すベクトル（図2-11(A)）として使われますので、こちらも頭にとどめておくと後の解説の理解が容易になります。

● ベクトルの内積

ニューロンにおけるベクトルの役割の理解を一歩進めるために、ベクトルの内積について学びましょう。内積と

は、2つのベクトルから1つのスカラーを得る演算です。ベクトルに内積を導入することで、ベクトルの大きさや2つのベクトルのなす角度を求められます。

　例として、2つのn次元ベクトル$\boldsymbol{x} = (x_1, x_2, \cdots, x_n)$および$\boldsymbol{y} = (y_1, y_2, \cdots, y_n)$に対する内積を紹介しましょう。これらの内積は$\boldsymbol{x} \cdot \boldsymbol{y}$という記号で表され、以下で計算されます。

$$\boldsymbol{x} \cdot \boldsymbol{y} = x_1 y_1 + x_2 y_2 + \cdots + x_n y_n = \sum_{i=1}^{n} x_i y_i \quad \cdots(2\text{-}18)$$

高校では2次元ベクトルの場合

$$\boldsymbol{x} \cdot \boldsymbol{y} = x_1 y_1 + x_2 y_2 \quad \cdots(2\text{-}19)$$

および3次元ベクトルの場合

$$\boldsymbol{x} \cdot \boldsymbol{y} = x_1 y_1 + x_2 y_2 + x_3 y_3 \quad \cdots(2\text{-}20)$$

のみを取り扱っています。n次元の場合である（2-18）式が、（2-19）式や（2-20）式の拡張になっていることがわかります。

●重みベクトルと入力ベクトルの内積

　内積の導入により、ニューロンの活性uを重みベクトル$\boldsymbol{w}$と入力ベクトル$\boldsymbol{x}$の内積を使って表すことができます。43ページの（2-1）式に続ける形で書くと次式のように書けます。

$$u = w_1 x_1 + w_2 x_2 + \cdots + w_n x_n + b$$

$$= \sum_{i=1}^{n} w_i x_i + b$$

$$= \boldsymbol{w} \cdot \boldsymbol{x} + b \qquad \cdots (2\text{-}21)$$

（2-21）式の最後の計算には内積の定義である前ページの（2-18）式が使われています。（2-21）式と活性化関数 $y = f(u)$ の組み合わせが、ニューロンの入力と出力の関係をベクトルで表したものです。

●ニューロンが発火するかしないかの境界

（2-21）式を用いると、ニューロンが発火するかしないかの境界を理解しやすくなります。その解説のために、活性化関数としてロジスティック関数を選んだ場合のニューロンの入力と出力の関係を次ページの**図2-12**に示しました。

ニューロンの出力は0に近い値となるか1に近い値となるかの2通りあります。$u > 0$、すなわちグラフの右半分では $y = 1$ に近い値となり、$u < 0$、すなわちグラフの左半分では $y = 0$ に近い値となります。ですから、$y = 0$ となるか1となるかの境界は $u = 0$、すなわちグラフの中央であると考えます。

ニューラルネットワークの応用においては、ニューロンの出力である0と1に何らかの意味をもたせます。たとえば、**3章**ではニューロンの出力1に対して「入力した画像は数字2である」、出力0に対して「入力した画像は数字2

ではない」という意味をもたせます。その場合、出力が0であるときと1であるときの境界が重要な意味をもちます。境界が適切な位置にないと、「入力した数字が2か否か」という判定が正しく行われないからです。

　以上から、ニューロンの出力yが0となるか1となるかの境界である$u = 0$が重要な意味をもつことがわかります。そして、前ページの**（2-21）式**より$u = \boldsymbol{w} \cdot \boldsymbol{x} + b$なのでしたから、ニューロンの出力の境界は$\boldsymbol{w} \cdot \boldsymbol{x} + b = 0$であると言い換えることができます。

　以後この境界のことを「出力の0と1の境界」や「出力

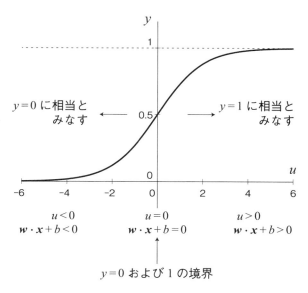

図2-12　ニューロンの出力yの値が0に近づくか1に近づくかの境界

の境界」などと呼びます。

では境界$w \cdot x + b = 0$はどのような意味をもつでしょうか。それを理解するにはベクトルの内積についてのさらなる理解が必要です。内積についての一般論に戻って解説を続けましょう。

●ベクトルの大きさと角度

内積を用いると、ベクトルの大きさとベクトル間の角度を求めることができます。これらの理解が必要です。

同じベクトル$x = (x_1, x_2, \cdots, x_n)$どうしの内積を計算するとベクトルの大きさの2乗になります。ベクトルの大きさを$|x|$と書くとこれは次式のようにまとめられます。

$$x \cdot x = \sum_{i=1}^{n} x_i x_i = \sum_{i=1}^{n} x_i^2 = |x|^2 \qquad \cdots(2\text{-}22)$$

61ページの **(2-18) 式**を用いて内積を計算していることに注意してください。これを$|x|$について解くと次式のようにn次元のベクトルの大きさ$|x|$が求められます。

$$|x| = \sqrt{x \cdot x} = \sqrt{\sum_{i=1}^{n} x_i^2} \qquad \cdots(2\text{-}23)$$

これは、高校で学んだ2次元ベクトルの大きさ

$$|x| = \sqrt{x_1^2 + x_2^2} \qquad \cdots(2\text{-}24)$$

および3次元ベクトルの大きさ

$$|\boldsymbol{x}| = \sqrt{x_1^2 + x_2^2 + x_3^2} \qquad \cdots(2\text{-}25)$$

の拡張となっています。

　そして、このベクトルの大きさ
を用いてベクトルの角度θが求め
られます。ベクトル$\boldsymbol{x}$と$\boldsymbol{y}$の大き
さがともに0ではないとき、**図
2-13**に示されるベクトル$\boldsymbol{x}$と$\boldsymbol{y}$の
なす角θはcos（コサイン、余弦）
の形で次式により求められます。

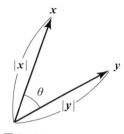

図2-13
ベクトルの内積の理解に
必要な文字

$$\cos\theta = \frac{\boldsymbol{x} \cdot \boldsymbol{y}}{|\boldsymbol{x}\|\boldsymbol{y}|} \qquad \cdots(2\text{-}26)$$

　右辺は、ベクトル$\boldsymbol{x}$と$\boldsymbol{y}$の内積をそれぞれのベクトルの
大きさ$|\boldsymbol{x}|$および$|\boldsymbol{y}|$で割ったものになっており、その計
算結果が2つのベクトルのなす角θに関係づけられるとい
うことを示しています。

　ただし、ここでcosの意味を解説しないと**（2-26）式**の
意味がつかみにくいかもしれません。次ページの**図2-14**
を用いて解説しましょう。

● **cosθ の性質**

　図2-14(A)のように、座標平面の原点Oを中心とした半
径1の半円を考えましょう。なお、**図2-14(A)**は次に紹介

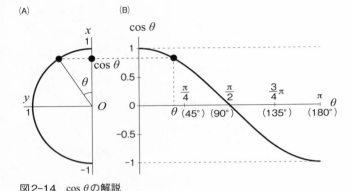

図2-14　cos θの解説

する図2-14(B)を見やすくするためにx軸とy軸の向きを通常の向きから90度回転させて表示していますのでご注意ください。この半円上に点を取り、その点を通る半径とx軸（図2-14(A)では縦軸）の正の方向とがなす角度をθとします。このとき、半円上の点のx座標がcos θです。

　このとき、θの大きさを0度から180度まで変えながらx座標であるcos θをグラフとして表したのが図2-14(B)です。グラフは、180度をπと表す**弧度法**で表現されていますが、弧度法に慣れていない方のために度での表記も併記しています。

　cos θについて**図2-14**から読み取っていただきたいことは以下の通りです。

・θの値を0度から180度まで変化させたとき、cos θは単調減少する

- $\theta = 0$ 度のとき $\cos \theta$ の値は最大値 1 である
- θ の値が 0 度から 90 度の間であるとき $\cos \theta$ の値は正である
- $\theta = 90$ 度のとき $\cos \theta$ は 0 となる
- θ の値が 90 度から 180 度の間であるとき $\cos \theta$ の値は負である
- $\theta = 180$ 度のとき $\cos \theta$ の値は最小値 −1 である

● 内積 $x \cdot y$ の性質

　以上の解説を踏まえると、ベクトル x と y の内積の性質もわかります。まず、65 ページの（2-26）式を内積 $x \cdot y$ について解くと次式のようになります。

$$x \cdot y = |x \| y| \cos\theta \qquad \cdots(2\text{-}27)$$

　いま、ベクトル x と y の大きさが 0 ではない、すなわち $|x|$ と $|y|$ とがともに正であり、65 ページの**図 2-13**において角度 θ のみを変化させる状況を考えます。（2-27）**式**と $\cos \theta$ の性質を合わせると、下記のことが言えます。

- θ の値を 0 度から 180 度まで変化させたとき、内積 $x \cdot y$ は単調減少する
- $\theta = 0$ 度のとき内積 $x \cdot y$ の値は最大値 $|x \| y|$ である
- θ の値が 0 度から 90 度の間であるとき内積 $x \cdot y$ の値は正である
- $\theta = 90$ 度のとき、内積 $x \cdot y$ の値は 0 となる
- θ の値が 90 度から 180 度の間であるとき内積 $x \cdot y$ の値は

負である

・$\theta = 180$度のとき内積$\boldsymbol{x} \cdot \boldsymbol{y}$の値は最小値$-|\boldsymbol{x}\|\boldsymbol{y}|$である

「ベクトル$\boldsymbol{x}$と$\boldsymbol{y}$の大きさが0ではない」という条件が満たされていれば、これらの逆も言えます。たとえば、「内積$\boldsymbol{x} \cdot \boldsymbol{y}$の値が0であるとき2つのベクトル間の角度は90度である（垂直である）」などです。内積$\boldsymbol{x} \cdot \boldsymbol{y}$が0であれば2つのベクトルは垂直である、という事実はニューロンの働きを理解する際に重要ですのでしっかりと覚えておきましょう。

● 2次元平面における直線と3次元空間における平面

　以上でニューロンの働きを理解する準備が整いました。まずは理解を容易にするために、ニューロンへの入力ベクトル$\boldsymbol{x}$が2次元および3次元の場合から解説しましょう。これは図2-15のように、ニューロンへの入力の個数が2個または3個の場合を表します。この場合が理解できれば、入力がn個の場合も問題なく理解できます。

　入力ベクトルが2次元および3次元の場合、2次元平面

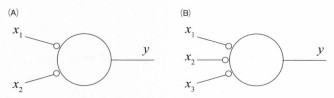

図2-15　(A)入力ベクトルが2次元のニューロン、(B)入力ベクトルが3次元のニューロン

における直線および３次元空間における平面が重要となりますのでここで復習しておきましょう。

　最もなじみ深い直線の式は図2-16(A)の$y = ax + b$ではないでしょうか。これは中学２年生で学ぶ１次関数です。xが１増えたときのyの増分が傾きa、y軸との交点が切片bと呼ばれるのでした。

　しかし、この式では図2-16(A)に$x = k$として示された「x軸に垂直な直線」を表すことができません。図2-16(A)に示された２種類の直線のすべてを表すことができる直線の方程式として、$ax + by + c = 0$という式を高校の数学Ⅱで学んでいます。

　もう一つ、x軸、y軸、z軸からなる３次元空間における平面の方程式$ax + by + cz + d = 0$を数学Bで学んでいます。こちらは次ページの図2-17を見ていただくとイメージしやすいでしょう。

　なお、図2-16(B)と図2-17に示されている「法線ベクト

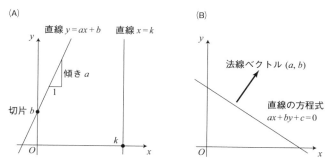

図2-16　(A)中学校の数学で学んだ直線、(B)高校で学ぶ直線の方程式

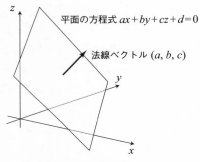

平面の方程式 $ax + by + cz + d = 0$

法線ベクトル (a, b, c)

図2-17　平面の方程式

ル」という注釈は、72ページの図2-18を学んだあとに振り返ると意味がわかるよう記されておりますので、ここではそのまま先に進みましょう。

● 2つの入力をもつニューロンの出力の境界は
　重みベクトルwに垂直な直線である

　ニューロンの出力の0と1の境界は$w \cdot x + b = 0$を満たすのでした。これが何を意味するか、2次元と3次元の場合を順に考えてみましょう。

　まず2次元の場合です。$x = (x_1, x_2)$および$w = (w_1, w_2)$ですから、$w \cdot x + b = 0$は

$$w_1 x_1 + w_2 x_2 + b = 0 \qquad \cdots (2\text{-}28)$$

と計算されます。先ほど復習した直線についての知識を用いると、(2-28) 式は(x_1, x_2)平面における直線を表します。このことは図2-18(A)に示されています。そして、こ

の直線は重みベクトルwと垂直であるという性質をもちます。そのことを確かめてみましょう。

　いま、直線上の点$x = (x_1, x_2)$のほかにもう1点$a = (a_1, a_2)$を考えましょう。ここで、ベクトルxとaとは位置を表すのですから位置ベクトルとして使われ、重みベクトルwは大きさと向きをもった通常のベクトルとして使われていることに注意してください。これらは58ページの図2-11で紹介されたのでした。

　なお、ベクトルxとaはどちらも直線上の点ですから、$w \cdot x + b = 0$および$w \cdot a + b = 0$を満たします。後に使うためにbを右辺に移項しておくと、

$$w \cdot x = -b$$
$$w \cdot a = -b \qquad \cdots (2\text{-}29)$$

とも書けます。

　ここで、直線に平行な方向は次ページの図2-18(A)に示されたように$x - a$で表されます。このベクトルと重みベクトルwの内積を計算してみましょう。

$$w \cdot (x - a) = w \cdot x - w \cdot a$$
$$= (-b) - (-b) = 0 \qquad \cdots (2\text{-}30)$$

　最後の計算では（2-29）式を用いていることに注意してください。

　（2-30）式より重みベクトルwとベクトル$x - a$の内積が0だと計算されたのですから、これらのベクトルは垂直です。図2-18(A)に注意すると、重みベクトルwと直線$w \cdot x$

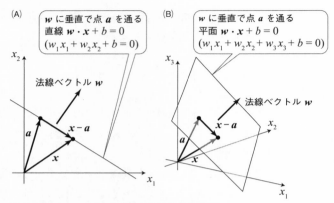

図2-18　ニューロンの出力yの0と1の境界
　　　　(A) 2次元の入力に対しては直線が境界となる
　　　　(B) 3次元の入力に対しては平面が境界となる

$+b=0$が垂直であるということです。

　この場合の重みベクトルwのように、ある図形に垂直なベクトルのことを**法線ベクトル**といいます。69ページの**図2-16**(B)にも法線ベクトルが書き込まれていたことに注意してください。法線ベクトルという言葉自体は高校では登場しませんが、問題を解くときなどにこの概念は登場することが多いでしょう。

　ここでわかったことを言葉で表すと、「2つの入力をもつニューロンの出力の0と1の境界は重みベクトルwに垂直な直線である」となります。

● **3つの入力をもつニューロンの出力の境界は**
　重みベクトルwに垂直な平面である

　入力が3次元、すなわち入力の個数が3個の場合も同様に解説できます。3次元の場合、出力の0と1の境界$w \cdot x + b = 0$を成分で表示すると

$$w_1 x_1 + w_2 x_2 + w_3 x_3 + b = 0 \qquad \cdots (2\text{-}31)$$

となります。これは前ページの**図2-18**(B)に示されたような平面となります。さらに、重みベクトル$w = (w_1, w_2, w_3)$はこの平面に垂直となります。そのことは2入力と同様に平面上に2点xとaを考え、重みベクトルwと$x - a$の内積が0となることを示すことで確かめられます。2入力のときの計算である71ページの**(2-29) 式**と**(2-30) 式**をよく見ると、ベクトルの次元が2次元であるという事実は使われていません。ですから、$w \cdot (x - a) = 0$であることは実はベクトルがどんな次元でも成り立ちます。

　まとめると、「3つの入力をもつニューロンの出力の0と1の境界は重みベクトルwに垂直な平面である」となります。

● n個の入力をもつニューロンの出力の境界は
　重みベクトルwに垂直な超平面である

　以上から、入力がn次元、すなわち入力がn個の場合も同様な議論が成り立つことがわかります。

　すなわち、出力の0と1の境界$w \cdot x + b = 0$はn次元空間上で何らかの図形となり、その図形と重みベクトルwは垂直である、というわけです。

　n次元空間上で境界$w \cdot x + b = 0$がつくる図形には**表2-3**

に示したように**超平面**という名前がついています。つまり、「n個の入力をもつニューロンの出力の0と1の境界は重みベクトルwに垂直な超平面である」と言えます。

表2-3　直線および平面の一般化としての超平面

入力の次元	出力の0と1の境界
2次元	直線
3次元	平面
n次元	超平面

　2次元空間における直線や3次元空間における平面の一般化がn次元空間の超平面だと言えますし、逆に2次元や3次元における超平面がそれぞれ直線と平面であると言うこともできます。

●境界と出力yの関係

　以上から、ニューロンの出力が0と1となる境界の向きは重みベクトルwで決まる、と言えます。さらに、どの点を通る境界となるかはバイアスbで決まるのですが、それは後に演習で体験してもらうことにしましょう。

　ここでは、その境界の周囲の点で出力yがどのように変化するかを見てみましょう。

　次ページの**図2-19**(A)は、入力が2次元ベクトル$x = (x_1, x_2)$であり、重みベクトルが$w = (5, 10)$、バイアスが$b = -10$であるときの出力の境界$5x_1 + 10x_2 - 10 = 0$を表しています。先ほど学んだように、この直線はベクトル$(5, 10)$と垂直な

方向の直線となっています。なお、**2-4**の「**● ベクトルの3つの演算**」（56ページ）および「**● ベクトルの成分表示と座標空間**」（58ページ）で学んだ知識を使うと、ベクトル$(5, 10)$はベクトル$(1, 2)$と同じ向きで大きさを5倍にしたものです。**図2-19**(A)ではベクトル$(5, 10)$は向きだけを正しく、大きさを縮小して記していますのでご了承ください。

なお、63ページの**図2-12**によるとこの境界上では$y = 0.5$となるのでした。その周囲ではyの値はどのようになるでしょうか。それを示したのが**図2-19**(B)です。**図2-19**(B)の(x_1, x_2)平面にy軸を加え、ニューロンに入力(x_1, x_2)を与えたときに出力yの値がどうなるかを表示しています。活性化関数はロジスティック関数としています。

ニューロンの入力と出力の関係を表す曲面が表示されていますが、この曲面上で$y = 0.5$となる点をつないで(x_1, x_2)

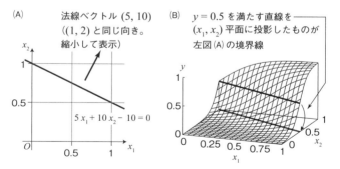

図2-19　(A)重みベクトル$w = (5, 10)$、バイアス$b = -10$であるときの出力の境界$5x_1 + 10x_2 - 10 = 0$
　　　　(B)同じ条件での入力(x_1, x_2)と出力yの関係

平面に投影したのが $5x_1 + 10x_2 - 10 = 0$ です。その境界の両側で、$y = 1$に近づく領域と$y = 0$に近づく領域があります。それが63ページの**図2-12**において$u = 0$ $(y = 0.5)$で分けられた2つの領域なのです。

さらに言えば、前ページの**図2-19**(B)において$y = 1$に近づく領域はwと同じ向きにある領域、$y = 0$に近づく領域はwと逆向きにある領域です。その理由は「**● 内積$x \cdot y$の性質**」（67ページ）で述べたように、ベクトルwとベクトルxがのなす角が小さいほど（同じ向きを向くほど）内積$w \cdot x$は大きくなり、その結果として活性$u = w \cdot x + b$も大きくなるからです。

● まとめ

以上、与えられた入力ベクトルxに対してニューロンがどのように出力yを決めるかを詳しく解説してきました。

まとめると、出力yが0に近づく領域と1に近づく領域の境界は超平面$w \cdot x + b = 0$となり、その超平面は重みベクトルwに垂直である、ということになります。

ニューロンの出力yを何かの分類のために用いるとき（たとえば数字の分類など）、本章で学んだ境界の性質を知ることが重要となります。

2-5 演習 ニューロンの出力の境界を自分で決めてみよう

●マクロを含むExcelファイルの実行

Excelを用いた演習で、ニューロンの重みベクトルwとバイアスbを変えたとき、出力yの境界が変化することを体験してみましょう。

1章でダウンロードして展開した演習ファイルのうち、02-01-1neuron.xlsmをダブルクリックして開きましょう。このファイルはWindows用ExcelおよびmacOS用Excelをお使いの方は1Excelフォルダに、LibreOfficeをお使いの方は2Libreフォルダに格納されています。Raspberry Pi用のLibreOfficeをお使いの方は3Libre-RasPiフォルダに格納されたファイルを用いてください。

PCの設定によっては拡張子と呼ばれる「.xlsm」の部分が表示されませんが、本章以降も含めて気にする必要はありません。また、LibreOffice用ファイルの拡張子は「.ods」です。

多くの場合次ページの**図2-20**のような警告が現れますが、これはマクロが含まれたExcelファイルを開こうとしたことによるものです。マクロとはExcel上で動作するプログラムのことで、本書では筆者が記述したプログラムを含むExcelファイルを配布しているためこのような警告が出るのです。

これらのプログラム（マクロ）の安全性は十分確認しておりますので、**図2-20**(A)の場合は「コンテンツの有効

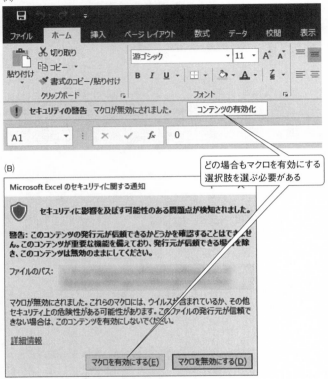

図2-20　マクロを含む Excel ファイルを開いたときに現れる警告の例

化」を、図2-20(B)の場合は「マクロを有効にする」をク
リックしてマクロを有効にしてください。マクロが無効な
ままでは本書の演習は実行できませんのでご注意くださ
い。

　なお、LibreOffice をお使いの方にはさらに注意があるので**付録A**をご覧ください。

● **Excelのシートに重みベクトル*w*と**

バイアス*b*の値を入力する

　Excel ファイルを開くと、**図2-21**のようなニューロンの絵が現れます。これは68ページの**図2-15**(A)と同じもので、入力が2次元ベクトル$x = (x_1, x_2)$であることを示しています。重みベクトル*w*の成分(w_1, w_2)およびバイアス*b*を入力できる箇所が赤い四角で囲われています。

　たとえば、81ページの**図2-22**のように$w_1 = 5$, $w_2 = 10$, $b = -10$と入力してみましょう。その際、日本語入力はオフにしてください。図に示されているように、出力*y*の0と1の境界を表すグラフと、入力(x_1, x_2)に対する出力*y*の変化を示すグラフが現れます。これは75ページの**図2-19**そのものなので、グラフの意味が理解できないという方は**2-4**の「● 境界と出力*y*の関係」（74ページ）の内容を復

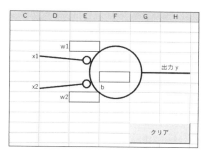

図2-21　w_1, w_2, bの値を入力できるニューロン

習しましょう。

　2-4の「●境界と出力 y の関係」の冒頭で、「どの点を通る境界となるかはバイアス b で決まる」と述べました。それを確かめてみましょう。次ページの図2-22の状態のまま、b の値を−20から5程度の範囲で変えながら何度か入力してグラフの変化を確かめてみましょう。境界線の向き（w に垂直）は変わらないまま、境界の位置が変化することが確認できると思います。

　なお、希望する点 (x_1, x_2) を通る直線を知りたければ、値を直線の式に代入して b を求めればよいのです。たとえば、$w_1 = 5$, $w_2 = 10$ で点 $(0, 1)$ を通る b を知りたければ、$5x_1 + 10x_2 + b = 0$ に対して $(x_1, x_2) = (0, 1)$ を代入することで

$$5 \times 0 + 10 \times 1 + b = 0$$
$$10 + b = 0$$
$$b = -10$$

と b が求められます。

●重みベクトル w とバイアス b に対して別の値を入力

　もう一つの例として、$w_1 = 1$, $w_2 = 2$, $b = -2$ をExcelに入力してみましょう。結果を示したのが83ページの図2-23です。出力 y の0と1の境界を表すグラフは変化しませんが、入力 (x_1, x_2) に対する出力 y の変化を示すグラフは、y の変化が緩やかになっていることがわかります。

　直線が変化しない理由は、前者を表す式 $5x_1 + 10x_2 - 10 = 0$

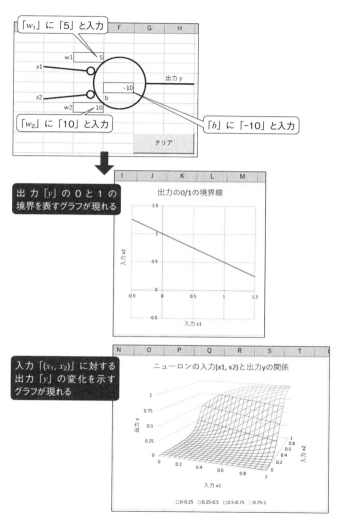

図2-22　$w_1 = 5$, $w_2 = 10$, $b = -10$ と入力したときの様子

と後者を表す式$x_1 + 2x_2 - 2 = 0$は同じ直線を表すからです。前者の両辺を5で割ると後者と等しくなりますね。

このように、出力の0と1の境界が同じだからといってyの変化の急峻さまで同じではないことに注意しましょう。一般に、wの成分の値が大きいと前ページの**図2-22**（下）のようにyの変化が急になります。

他にもさまざまなwとbの値を試し、ニューロンの入力と出力の関係が変化することを体験してみましょう。

ファイル上の「クリア」ボタンを押すと、シート上でwとbの値がリセットされますので、必要に応じて利用してください。

なお、演習ファイルを閉じるときにファイルを保存するかどうか聞かれますが、本章以降も含め、保存する必要はありません。それにより、演習ファイルをダウンロード直後の状態に保つことができます。

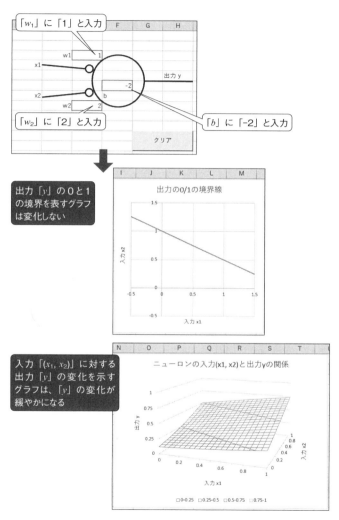

図2-23　$w_1 = 1, w_2 = 2, b = -2$ と入力したときの様子

3章 損失関数の微分により ニューロンを学習させよう

3-1 本章で学ぶ内容

　2章ではニューロンの働きを学びました。与えられた入力ベクトルxに対して重みベクトルwとバイアスbを用いて活性$u = w \cdot x + b$を計算し、それを活性化関数$f(u)$に代入して出力yを得るのでした。さらに、Excelを用いた演習では重みベクトルwとバイアスbを手動で調整することで超平面$w \cdot x + b = 0$を変化させられることを体験していただきました。

　言い換えると、**2章**ではニューロンの機能を手動で変更できることを体験していただいたということです。本章では、ニューロンが自動で機能を獲得すること、すなわちニューロンの「学習」について学びます。

　ニューロン1つの学習は、ニューラルネットワークの歴史で言えば1958年にパーセプトロンが提案された頃から行われていました。しかし、本章で当時の議論をそのまま再現するわけではありません。現代の観点からニューロン1つの学習を解説し、**4章**以降のニューラルネットワークとディープラーニングの解説にスムーズに接続することを主眼としています。

　本章で新たに登場する数学の知識を**表3-1**にまとめました。

表3-1　本章で用いる数学の知識と高校数学の対応

本章で用いる 数学の知識	高校で 取り扱われる科目	本章で登場する箇所
対数関数	数学Ⅱ	**3-4**……111ページ
合成関数	数学Ⅲ	**3-5、3-7**……118、133ページ
関数の微分とその意味	数学Ⅱ、数学Ⅲ	**3-6、3-7**……124、133ページ

　また、本章で新たに登場する文字を**表3-2**にまとめます。

表3-2　本章で新たに登場する文字

N	データの個数
s	何番目のデータかを表す添え字
$\boldsymbol{x}_s$	s番目の入力ベクトル
$(x_{s1}, x_{s2}, \cdots, x_{sn})$	s番目の入力ベクトルの成分表示
y_s	s番目の入力に対するニューロンの出力
t_s	s番目の入力に対するターゲット
u_s	s番目の入力に対する活性
η	学習率
L	損失関数または損失
L_s	s番目の入力に対する損失関数

3-2　機械学習における教師あり学習の枠組み

●入力・出力・ターゲット

　それでは、ニューロンまたはニューラルネットワークが

行う学習とはどのようなものか、**図3-1**を用いて解説します。

まず、中心にニューロンまたはニューラルネットワークがあります。本章ではまだニューロン1つしか取り扱いません。しかしこの図自体は、**4章**以降でニューロンが複数になったとき、すなわちニューラルネットワークとなった場合にも当てはまります。ですので、以下ではこの図の中心部分をニューラルネットワークと呼ぶことにします。

2章ではニューロンに1つの入力ベクトルxを与え、それに対応する出力yが計算できることを確認しました。それに対し、ここからは入力が複数（図ではN個）あると考え、それぞれに$x_1, x_2, \cdots, x_N$と名前を付けます。これを以下ではx_s $(s = 1, 2, \cdots, N)$と表すことがありますので慣れておきましょう。さらに、この入力は「**データ**」とも呼ばれます。

次に、それぞれの入力に対するニューラルネットワークの出力がそれぞれ$y_1, y_2, \cdots, y_N$であるとします。このとき、入力x_sに対する出力y_sには目標とすべき値があるとし、それを**ターゲット**t_sと呼ぶことにします。ターゲットは「**教師**」とも呼ばれます。

● 添え字に関する注意

ところで、**2章**では入力ベクトルを$x = (x_1, x_2, \cdots, x_n)$、重みベクトルを$w = (w_1, w_2, \cdots, w_n)$と書いてきました。どちらも次元は$n$次元です。2次元の場合は
$x = (x_1, x_2)$、$w = (w_1, w_2)$と書くのでしたね。

　まず、入力の次元であるnと図3-1に記されたデータの個数であるNは別の数字として区別されていますので注意してください。それらは**2章**の冒頭（35ページ）と**3章**の冒頭（85ページ）にある文字をまとめた表にも記されていますので迷ったときは見直してください。

　また、ベクトルの成分であるx_1、x_2に含まれる添え字1、2は「何番目の成分か」を表す数値です。一方、図3-1では複数の入力ベクトル$\boldsymbol{x}_s$（$s = 1, 2, \cdots, N$）が用いられていますが、その添え字sは「何番目のデータか」を表します。この添え字の違いにも注意してください。

　s番目の入力ベクトル$\boldsymbol{x}_s$を成分で表すとこれらの違いが明確になるでしょう。s番目のデータごとに成分が異なることを表現する必要がありますから、

$\boldsymbol{x}_s = (x_{s1}, x_{s2}, \cdots, x_{sn})$　（$s = 1, 2, \cdots, N$）と以下では記します。

　このように、ニューラルネットワークの動作を数学で表現しようとすると、文字を区別するためにつけるべき添え

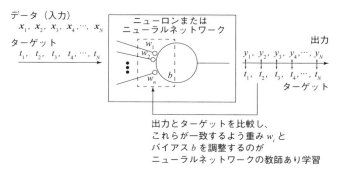

図3-1　ニューラルネットワークが行う教師あり学習

字がどんどん増えていき、式がわかりにくくなるという問題が起こります。

　ニューラルネットワークの動作を理解するための数学は決して難しいものではないと筆者は考えていますが、文字の添え字がたくさんあって複雑だと感じる方は多いだろうと思います。これについては残念ながら慣れるしかありません。

　なお、以上から本章以降はニューラルネットワークに与えるデータには$x_s = (x_{s1}, x_{s2}, \cdots, x_{sn})$や$x_s = (x_{s1}, x_{s2})$などのようにデータを表す添え字と、成分を表す添え字の両方を記すべきなのですが、誤解を招かないことが文脈から明らかな場合は、データを表す添え字を省略して**2章**のように$x = (x_1, x_2, \cdots, x_n)$や$x = (x_1, x_2)$などと表記する場合もあります。その方が文字による表記がシンプルになり理解しやすいためです。

●機械学習における教師あり学習

　添え字に関する注意をしたところで、前ページの図3-1の解説に戻りましょう。

　図に示されているように、y_sとt_sは一致すべきものです。これらが一致していない場合、一致するようニューラルネットワークを変更します。**2章**の演習で体験したように、このとき変更するのが重みベクトル**w**とバイアス**b**であるというわけです。そして、**w**と**b**をデータにもとづいて自動的に変更するのが本章で紹介する「**学習**」です。

　一般に、ある課題を実現するための手法を、人間がルー

ルを決めて実現するのではなく、データの性質から自動的に実現することを**「機械学習」**と呼びます。87ページの図3-1に示したのは、機械学習のうち**「教師あり学習」**と呼ばれる課題です。教師とはターゲットt_sのことであり、課題とはt_sと一致するy_sをニューラルネットワークが出力することです。

　以上が本書で取り扱う課題の一般的な枠組みです。ここからは、本書でどのような課題を取り扱うのかを具体的に示していきましょう。

● **課題例1：2入力の論理演算**

　まず1つ目の例は、2入力の論理演算です。2つの入力はそれぞれ0と1のどちらかの値をとり、それに対して0か1の値を出力します。

　具体例を見た方がわかりやすいでしょう。次ページの図3-2(A)は、ANDと呼ばれる論理演算の入力と出力を示したものです。なお、図3-1の解説で用いた文字との対応を示したのが図3-2(B)ですので、併せてごらんになると図3-1と図3-2の関係がわかりやすいと思います。

　まず、ANDは入力ベクトル$\boldsymbol{x} = (x_1, x_2)$が$(0, 0)$、$(0, 1)$、$(1, 0)$のどれかである場合、0を出力します。それが図3-2(A)の上からの3項目に記されている内容です。そして、入力が$(1, 1)$であるときのみ、1を出力します。これを言葉で表すと「入力x_1が1であり、**なおかつ**入力x_2が1であるときのみ1を出力する」となります。「AND」は英語で「なおかつ」という意味があることを念頭に置くとわ

(A)

AND

入力 1 x_1	入力 2 x_2	ターゲット t
0	0	0
0	1	0
1	0	0
1	1	1

(B)

表の見方

	入力 1 x_1	入力 2 x_2	ターゲット t
$\boldsymbol{x}_1 =$	$($ x_{11},	x_{12} $)$	t_1
$\boldsymbol{x}_2 =$	$($ x_{21},	x_{22} $)$	t_2
$\boldsymbol{x}_3 =$	$($ x_{31},	x_{32} $)$	t_3
$\boldsymbol{x}_4 =$	$($ x_{41},	x_{42} $)$	t_4

(C)

OR

入力 1 x_1	入力 2 x_2	ターゲット t
0	0	0
0	1	1
1	0	1
1	1	1

(D)

XOR

入力 1 x_1	入力 2 x_2	ターゲット t
0	0	0
0	1	1
1	0	1
1	1	0

図3-2　2入力の論理演算の例
(A)AND、(B)表の見方、(C)OR、(D)XOR

かりやすいと思います。

　図3-2(B)と比較しながら87ページの図3-1と対応付けると、データとターゲットの個数がそれぞれ4個（$N = 4$）であることになります。図3-2(B)に記したベクトルの成分は、「●添え字に関する注意」（86ページ）に記した表記法になっていますので注意しましょう。

●ニューラルネットワークに論理演算を学習させる意味

　さて、ニューラルネットワークにANDを学習させるの

はなぜでしょうか。１つ目の理由は、ANDに代表される
論理演算がニューラルネットワークの学習を理解するため
の最も単純な例の一つであるからです。入力ベクトルxの
次元が２（２入力）、出力が１つ、そしてデータの個数が４
個と、どの数値も小さいため**2章**で行ったグラフによる理
解が容易なのです。

　論理演算を用いるもう一つの理由は、論理演算は我々が
普段使っているコンピュータの基礎となっている技術であ
るからです。ANDの機能を実現した回路をANDゲート
といいますが、我々が普段使うコンピュータには必ず
ANDゲートが含まれています。ですから、ニューラルネ
ットワークが論理演算の機能を実現できるならば、脳を模
したニューラルネットワークでコンピュータを作ることが
理論的には可能だということ意味します（ただし、ニュー
ラルネットワークの出力を入力側に戻す「フィードバッ
ク」という仕組みが必要です）。

　そのため、脳とコンピュータの類似性を探るという意味
でニューラルネットワークに論理演算を学習させる、とい
うことが伝統的に行われてきました。とは言え、我々の脳
の働きとコンピュータの働きは似ている部分はあるにせよ
全く同じではない、ということは我々がコンピュータに触
れるときに体感することですので、この類似性については
比喩程度にとらえておくのが良いでしょう。

● 論理演算の他の例：ORとXOR

　AND以外の論理演算の例として、ORとXORを前ペー

ジの図3-2(C)と図3-2(D)に示しました。

ORは「入力x_1が1であるか、**または**入力x_2が1である
ときに1を出力する」というように「または」という言葉
に対応した機能をもちます。これはORが英語で「また
は」という意味をもつことからイメージしやすいでしょ
う。こちらもANDと同様にニューラルネットワークに学
習させる例として用います。

もう一つのXORは「エクスクルーシブオア」と読み、
排他的論理和とも呼ばれます。図3-2(D)に示されているよ
うに、「入力x_1と入力x_2のどちらかが1であるときのみ1を
出力する」という機能になっています。こちらは、ニューロ
ン1つでは学習できない例として用いられます。すなわ
ち、本章の範囲では学習に失敗しますが、**4章で紹介する
ニューラルネットワークを用いれば学習できる例である**と
いうことです。

● **課題例2：64ピクセルの手書き数字**

先ほど紹介した論理演算は、グラフを描くことで理解が
容易になるというメリットがあるのでした。逆にグラフを
描くことが困難な例として、64ピクセルの手書き数字を
紹介します。ピクセルとは画素とも呼ばれる画像の要素の
ことです。

手書き数字の一つを図示したのが次ページの図3-3で
す。小さな数字を拡大して表示しているので少し見にくい
ですが、図3-3の左側には手書きされた数字の2が表示さ
れています。この数字は、白、灰色、黒の四角形の組み合

わせでできています。この四角形の1つをピクセル（画素）と呼び、この例では縦と横がそれぞれ8ピクセルで構成されていることが示されています。さらに、図3-3の右側には手書き数字が0から16の整数値で成り立っていることが示されています。左右の図を見比べることで、白が0、黒が16という表現になっていることがわかります。この0から16の数値を左上から右下に向かって矢印に沿って順に読んでいくことで、図3-3の下側に示されているように数字が64個の、すなわち64次元のベクトルが得られます。これをニューラルネットワークへの入力とします。

白が 0、黒が 16 という表現になっている

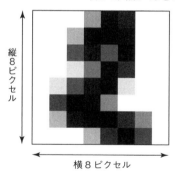

(0, 0, 0, 4, 15, 12, 0, 0,
0, 0, 3, 16, 15, 14, 0, 0,
0, 8, 13, 8, 16, 0, 0, 0
0, 0, 1, 6, 15, 11, 0, 0,
0, 1, 8, 13, 15, 1, 0, 0,
0, 9, 16, 16, 5, 0, 0, 0,
0, 3, 13, 16, 11, 5, 0,
0, 0, 0, 3, 11, 16, 9, 0)

x=(0, 0, 0, 4, 15, 12, 0, 0, 0, 0, 3, 16, 15, 14, …, 16, 9, 0)

64 次元ベクトル

図3-3　64ピクセルの手書き数字の例。64個の数値を並べて64次元のベクトルとする

● 手書き数字のデータ・出力・ターゲット

この手書き数字の例は本書で何度も登場します。この手書き数字はインターネットで公開されている「Optical Recognition of Handwritten Digits Data Set」というデータのうちのテスト用データを活用しています。詳細は巻末の参考文献をご覧ください。

この手書き数字には、0〜9が書かれた手書き数字が図3-4に示されているように1797個含まれています。87ページの図3-1の文字を使えば$N = 1797$です。それぞれの数字に対して、およそ180個前後のデータが存在しています。それぞれの個数は一定ではありません。

本章ではニューロン1つにこの手書き数字のデータを入力しますが、出力は0か1かの2通りしかありません。すなわち、0から9の数字をそれぞれ別の数字としては認識できないということです。

そこで、ニューロンに1つの数字のみを認識させること

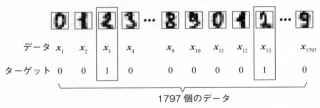

2を認識させたいときは2が描かれた文字にのみ
ターゲット1を割り当てる（2種類のクラスの分類の場合）

データ	x_1	x_2	x_3	x_4	x_9	x_{10}	x_{11}	x_{12}	x_{13}	x_{1797}
ターゲット	0	0	1	0	0	0	0	0	1	0

1797個のデータ

図3-4 手書き数字の1797個のデータおよびターゲット。数字2を認識する場合の例

にします。たとえば、「数字2」と「それ以外の数字」に
それぞれ1および0という番号を割り振り、この2つを区
別するわけです。これを、87ページの図3-1で導入した枠
組みに当てはめると、前ページの図3-4に示したように、
数字2に対応する入力 x_s にはターゲット $t_s = 1$ を、2以外の
数字に対応する入力 x_s にはターゲット $t_s = 0$ を割り当てる
ということです。

　この手書き数字の例は、残念ながらグラフで理解するこ
とができません。なぜなら、入力ベクトルは
$x = (x_1, x_2, \cdots, x_{64})$ のように64次元ベクトルであり、これを
点としてグラフ表示するためには64次元空間が必要とな
るためです。

　そのため、グラフで理解しやすい論理演算の例でニュー
ラルネットワークの働きのイメージをつかみ、そこからの
類推で手書き数字の例を理解する、という流れで解説を進
めます。

3-3　グラフによる例題の理解

　3-3では、3-2で紹介した例題をグラフにより理解して
みましょう。その際、**2章**の最後で体験したExcel演習の
知識が役に立ちます。忘れてしまったという方や、ここで
の解説がわかりにくいと感じる方は、もう一度**2章**の演習
を体験してから読むと理解の助けとなるはずです。

● **ANDのグラフ表示**

　まず、90ページの図3-2(A)のANDをグラフ表示してみましょう。入力xは(0, 0)、(0, 1)、(1, 0)、(1, 1)の4つありますので、それを(x_1, x_2)平面上の点として次ページの図3-5(A)にそれぞれ表示しています。このとき、それぞれの入力に対するターゲットが1ならば黒い点で、ターゲットが0ならば白い点で表示されています。

　ここで、ターゲットが1となる点と0となる点を区別するための境界を考えます。その例が図3-5(A)に示されている$10x_1 + 10x_2 - 15 = 0$です。この境界は**2章**のExcel演習でも確かめられます。

　このとき、ニューロンへの入力(x_1, x_2)に対する出力yを表示したのが図3-5(B)です。図3-5(A)に記した4つの点が、図3-5(B)ではターゲットが1ならば$y = 1$の点として、ターゲットが0ならば$y = 0$の点として表示されています。図3-5(B)をy軸の正の方向から見下ろしたのが図3-5(A)であるということもできます。

　図3-5(B)を見ると、ニューロンの出力yがターゲットを表す点とほぼ重なっていることがわかります。87ページの図3-1の右側で記されているように、それがニューラルネットワークの目指すべきことなのでしたね。

　このような状態が実現するよう、wとbをデータをもとに自動で調整することを学習と呼ぶのでした。ANDの例は、学習を用いなくてもwとbに定める値

　($w=(10, 10)$, $b=-15$) があらかじめわかっている例です。

　なお、グラフの境界線は式全体を定数倍しても変わらな

いことを**2章**の演習で確認しました。たとえば
$20x_1 + 20x_2 - 30 = 0$ という式を用いても**図3-5(A)**の境界線
は変化しません。一方、**図3-5(B)**の曲面は変化が急な曲面
となるのでした。それにより、データの存在する点におけ
るニューロンの出力yはターゲットの値である0や1により近づくという効果があります。

(A) AND を実現するための境界　　(B) AND を実現した入力と出力の関係

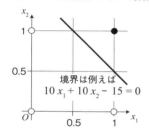

境界は例えば
$10x_1 + 10x_2 - 15 = 0$

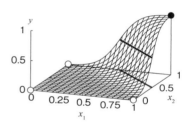

(C) OR を実現するための境界　　(D) OR を実現した入力と出力の関係

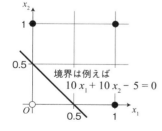

境界は例えば
$10x_1 + 10x_2 - 5 = 0$

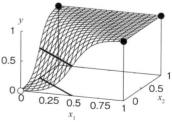

図3-5　ニューラルネットワークに与えるデータのグラフ表示。黒い点はターゲット1を、白い点はターゲット0を表す
(A)ANDの入力とターゲット、(B)ANDを実現したニューロンの出力、(C)ORの入力とターゲット、(D)ORを実現したニューロンの出力

● ORのグラフ表示およびデータの線形分離について

同様に、ORをグラフ表示したのが前ページの図3-5(C)および図3-5(D)です。こちらはターゲットが1となる点がANDより増えていることがわかります。こちらに対する境界もあらかじめ計算できて、たとえば$10x_1 + 10x_2 - 5 = 0$です。ニューロンの出力である図3-5(D)の見方も図3-5(B)と変わりません。

このように、ANDとORはターゲット0とターゲット1のデータを直線による境界で区別できることがわかります。なお、ここではデータが2次元なので直線ですが、それ以外の次元の場合も含めると、ニューロン1つの出力の境界は超平面と呼ばれるのでした。ANDやORの例のようにデータが超平面で区別できる場合、このデータは**線形分離可能**なデータと呼ばれます。逆の言い方をすると、1つのニューロンは線形分離可能なデータを区別する能力がある、ということです。

● XORのグラフ表示

一方、線形分離可能ではないデータの典型例が次ページの図3-6に示されているXORです。入力xが$(0, 1)$、$(1, 0)$のときのみ、ターゲットは1となるのでしたね。ターゲット0とターゲット1のデータの境界を定めると、図3-6(A)および図3-6(C)の2つの場合があり得ます。いずれも、2本の直線でターゲット0のデータとターゲット1のデータを区別できています。しかし、線形分離可能であるというためには、1本の直線（1つの超平面）でデータを区別で

きなければなりません。ですからXORは線形分離可能な
データではない、ということです。

なお、図3-6(A)および図3-6(C)のような境界をニューラ
ルネットワークの出力yとして実現したものが図3-6(B)お
よび図3-6(D)です。このような出力yをニューロン1つで

(A) XORを実現するための
境界(1)

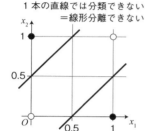

(B) XORを実現した
入力と出力の関係(1)

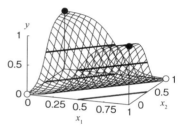

(C) XORを実現するための
境界(2)

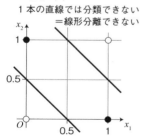

(D) XORを実現した
入力と出力の関係(2)

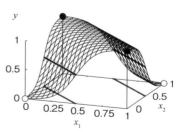

図3-6 (A)、(C) XORに対する入力とターゲット。1つの直線では
ターゲット1のデータとターゲット0のデータを区
別できないことが示されている
(B)、(D) XORを実現したニューラルネットワークの出力。ニ
ューロン1つでは実現できない

実現することはできません。ニューロン１つで実現できるのは、出力０と出力1の境界を１つの直線（超平面）として定めることだからです。前ページの図3-6(B)および図3-6(D)のような出力は**４章**のニューラルネットワークで初めて実現可能となります。

●**手書き数字を線形分離するイメージ**

　以上を踏まえ、手書き数字の場合を考えてみましょう。本書で扱う手書き数字は64次元ベクトルで表現されていますから、１つの数字は64次元空間の１点として表されます。もちろん、実際に64次元空間上の点を表示することはできませんが、そのイメージを**図3-7**のように表現してみましょう。64次元空間上にさまざまな手書き数字が存在することをイメージした図です。

(A) 数字２とそれ以外が
　　線形分離できる場合

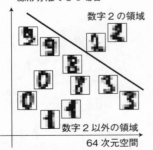

(B) 数字２とそれ以外が
　　線形分離できない場合

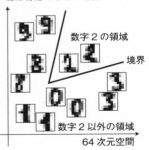

図3-7　64次元空間における数字２とそれ以外の分類
　　　(A)数字２とそれ以外が線形分離可能な場合
　　　(B)数字２とそれ以外が線形分離可能ではない場合

　ここで、「数字2とそれ以外を区別する」という課題を考えます。前ページの**図3-7**(A)のように数字2とそれ以外の数字が1つの超平面で区別できる場合、数字2は他の数字と線形分離可能であると言われ、ニューロン1つで実現できるのでした。一方、**図3-7**(B)のように数字2とそれ以外が1つの超平面で区別できない場合（図ではクサビ形の境界で区別している図としました）、ニューロン1つでは区別できません。

　さて、本書で取り扱う手書き数字において数字2は他の数字と線形分離可能でしょうか。AND、OR、XORのような論理演算の例と違って、手書き数字の場合にデータが線形分離可能かどうかをあらかじめ知ることはできません。この場合、データの区別をニューロン1つで試し、区別が成功すればデータは線形分離可能、と判断することになります。

　筆者が実際に試してみたところ、数字2は他の数字と線形分離可能でした。ただしこれは数字2そのものがもつ性質というわけではなく、本書で取り扱う1797個の手書き数字のセットのもつ性質です。ですから、別の手書き数字のセットを用いたときに線形分離可能ではなくなることはあり得ますので注意してください。

● 教師あり学習の分類と回帰

　本書で取り扱う論理演算と手書き数字認識のイメージをつかんだところで、機械学習の種類と用語を紹介しましょう。

機械学習で取り扱う課題の例を**表3-3**にまとめました。87ページの図3-1で紹介した教師あり学習のほかに、**教師なし学習**や**報酬あり学習**（**強化学習**）と呼ばれるものがあることが表に示されています。

　本書で主に取り扱うのは図3-1でも紹介した教師あり学習です。教師あり学習には**分類**（classification、クラシフィケーション）と**回帰**（regression、リグレッション）という課題があり、分類はさらに「クラス数2」と「クラス数M」の2つに分けられています。これらについて解説していきましょう。

表3-3　機械学習で取り扱う課題

教師の有無	課題	ターゲットの性質
教師あり学習	クラス数2の分類	0または1（2個の整数）
	クラス数Mの分類	M個の整数
	回帰	実数
教師なし学習	クラスタリング（clustering）、データの低次元化、オートエンコーダ	
報酬あり学習（強化学習）	運動制御、迷路探索、将棋、囲碁	

　これまで紹介してきた論理演算 AND、OR、XORや手書き数字2の認識は、「クラス数2の分類」です。分類とは、その名の通り与えられたデータを複数のクラス（グループ）に分ける課題です。分ける先のクラスが2つである場合クラス数は2となります。

　これまで紹介した例では、ニューロンの出力が0と1の

間の実数を取り、それをターゲットである整数0と1に対応させましたので、すべてクラス数2の分類となっていました。

●多クラスの分類

　ニューロン数を増やすと、分類先のクラス数を増やすことができます。それが前ページの表にある「クラス数Mの分類」です。多クラスの分類と呼ばれることもあり、**4章**以降で取り扱われます。それにより、手書き数字の課題において0から9の手書き数字をそれぞれ別の数字として認識できるようになります。すなわち、94ページの**図3-4**においてターゲットを手書き数字に対応する10個の整数に設定することができます。その結果、課題はクラス数10の分類となります。

●回帰

　分類と似た課題に回帰があります。本書で大きく取り上げるわけではありませんが、ニューロンの学習を解説する際に回帰についての知識が必要となりますので、ここで簡単に紹介します。

　回帰を簡単に言うと、入力と出力の間の関係を近似することです。近似式や近似直線を求める課題、と言うとイメージがつかめる方も多いでしょう。それを解説するための図が次ページの**図3-8**です。この図は100人の男性の年齢［歳］、身長［cm］、肺活量［mL］を3次元空間上のデータとして表示したものです。1つの点が1人のデータ

を表しています。このデータは実際のデータを参考に筆者が人工的に作成したものです。

　一般に、肺活量は年齢が若いほど、そして身長が高い方が大きいことが知られています。そこで、年齢x_1［歳］と身長x_2［cm］が与えられたときに、平均的な肺活量y［mL］を推定するという課題を考えます。これまでの課題と同様、(x_1, x_2)をニューロンへの入力、yをニューロンの出力と考えることができます。ただし、この場合ニューロンの活性化関数を46ページの図2-5(C)の恒等関数とします。それにより、出力yが0と1の間に制限されず、任意の肺活量を表現できるのです。

　この課題を87ページの図3-1の枠組みで解釈すると、年齢と身長からなるs人目のデータ$\boldsymbol{x}_s = (x_{s1}, x_{s2})$に対して、ターゲット$t_s$はその人の実際の肺活量となります。人数は100人でしたから$s = 1, 2, \cdots, 100$です。そうすると、図3-8の一つ一つの点は3次元空間上の座標(x_{s1}, x_{s2}, t_s)で表され

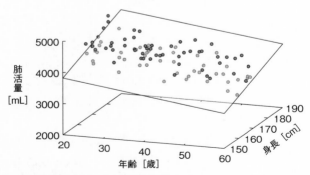

図3-8　回帰ではデータの近似が行われる

ます。そして、前ページの**図3-8**の面はニューラルネットワークの出力であり、ニューロン1つの場合はデータ (x_{s1}, x_{s2}, t_s) を近似する平面となります。**4章**のニューラルネットワークを使えば曲面による近似も可能です。

クラス数2の分類の課題では2つのクラスの間の境界を求めるのがニューラルネットワークの課題でしたが、**図3-8**の回帰ではデータそのものを近似することが課題だということがわかります。

分類と回帰は似ている部分が多く、102ページの**表3-3**に示したようにターゲットが整数である場合は分類、実数である場合は回帰であると考えることもできます。以上のことを頭にとどめ、ニューラルネットワークの学習について学んでいきましょう。

3-4 損失関数の定義

3-4では、ニューラルネットワークの学習に欠かせない損失関数を定義します。損失関数は現在のディープラーニングでも用いられています。

●教師あり学習を行うニューラルネットワークが目指すもの

図3-1で解説したように、教師あり学習におけるニューラルネットワークの目標は、s 番目のデータを $\boldsymbol{x}_s$、それに対する出力を y_s、ターゲットを t_s としたとき、すべての s で出力 y_s とターゲット t_s を一致させるよう重みベクトル $\boldsymbol{w}$ とバイアス b を決めることでした。s はデータの番号を表

す添え字で、1からNの値をとるのでした。ここからは、その状態をどのように実現したらよいかを考えましょう。

　もちろん、97ページの図3-5のような簡単な課題ならば、グラフを描くことで適切なwとbを決めることができます。しかし、100ページの図3-7の手書き数字の分類のように入力ベクトルの次元が高くなりデータ数が大きくなると、wとbを簡単に決めることはできません。

● 平均二乗誤差による損失関数

　重みベクトルwとバイアスbを決めるための指針として、**損失関数**と呼ばれる関数が用いられます。損失関数は、すべての$s = 1, 2, \cdots, N$に対して$y_s = t_s$になるときのみ値0をとり、それ以外では正の値をとるという性質をもちます。この損失関数により、「出力とターゲットを一致させる」という目標が、「損失関数を減少させて0にする」という目標に置き換えることができ、それを実現するよう重みベクトルwとバイアスbを調整することになるのです。

　損失関数の式の形は、取り扱う課題によって異なります。理解が容易なのは3-3で紹介した回帰で用いられる**平均二乗誤差**で、次の式で表されます。

$$L = \frac{1}{2N} \sum_{s=1}^{N} (y_s - t_s)^2 \qquad \cdots (3\text{-}1)$$

　本書では損失関数を文字Lで表します。右辺が平均二乗誤差です。平均二乗誤差は、統計学においてデータの近似

式を求めるときに用いる最小二乗法で登場しますので、見たことがあるという方は多いのではないでしょうか。

なお、前ページの（3-1）**式**の和記号の前の分数の分母の2はつけてもつけなくても影響がありません。通常、LはLを0にするy_sを探すために用いられますが、分母に2があってもなくてもLを0にするy_sの位置は変わらないからです。しかし、習慣としてつけることが多いので本書でもそれに従います。

（3-1）**式**に含まれる$y_s - t_s$はs番目の入力x_sに対する出力y_sが目標値であるターゲットt_sからどれだけ離れているかを表す量で、出力の**誤差**に相当します。誤差は単なる引き算ですから、正負のどちらの値もとることができます。それを2乗したものが二乗誤差で、y_sがt_sに一致するときのみ0となり、それ以外では正の値をとる量となります。この二乗誤差は$s = 1, 2, \cdots, N$に対応してN個ありますのですべて合計してNで割ることで平均となり、平均二乗誤差となります。（3-1）**式**にはさらに分母に2がつけられることはすでに述べた通りです。

● 平均二乗誤差による損失関数のグラフによるイメージ

先ほど、平均二乗誤差はさまざまな損失関数のなかで「理解が容易」と述べました。その理由は、高校で学ぶ放物線のイメージで理解できるからです。

例として、データの個数が$N = 1$の場合および$N = 2$の場合に（3-1）**式**の損失関数をグラフ表示したのが次ページの図3-9です。

(A) データが1つ（$N=1$）の場合

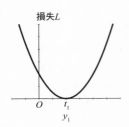

(B) データが2つ（$N=2$）の場合

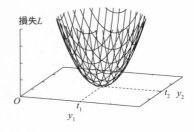

図3-9　出力y_sの関数としての損失関数
　　　(A)$N=1$の場合、(B)$N=2$の場合

　まず、$N=1$の場合である図3-9(A)から見てみましょう。入力ベクトル$\boldsymbol{x}_1$に対する出力y_1が横軸に、損失関数の値である**損失**が縦軸に表示されたグラフです。見てわかる通りグラフは放物線となっており、y_1軸上でy_1がt_1に一致する箇所に放物線の頂点が存在することがわかります。すなわち、先ほど述べたように「y_sがt_sに一致するときのみ0となり、それ以外では正の値をとる」ことがわかります。

　同様に$N=2$の場合である図3-9(B)も理解できるでしょう。こちらの場合は損失関数Lがy_1とy_2の関数となっています。放物線を回転してできる放物面となっており、グラフの底面における頂点の座標は (t_1, t_2) です。そのため、「(y_1, y_2) が (t_1, t_2) に一致するときのみ0となり、それ以外では正の値をとる」ことがわかります。

　これが平均二乗誤差を損失関数として用いたときのイメージです。

● グラフを見るときの注意

　なお、グラフを見る際に注意すべきことがあります。前ページの**図3-9**はy_1やy_2についてのグラフであり、ニューラルネットワークの出力がもつべき性質について示したグラフです。そのようなグラフはここで初めて登場しました。

　これ以前に登場したグラフは多くがニューラルネットワークへの入力ベクトル$\boldsymbol{x} = (x_1, x_2)$に関するグラフとなっており、入力の性質について理解するためのものでした。

　このように、「出力についてのグラフ」と「入力についてのグラフ」は全く別のものですので、グラフを見るときは「それが何を表したグラフなのか」をまず先にチェックし、**グラフの種類に応じて頭を切り替えて見る**ようにしなければなりません。

　大学で物理や化学などの実験結果をまとめるとき、グラフの軸が何を表すかを正しく書くよう厳しく指導されます。それは、グラフの軸についての情報が「それが何を表したグラフなのか」を理解するための重要な手がかりとなるからです。日常生活でも、グラフに騙されないよう、軸の目盛りを正しく読み取るよう注意されることがあるでしょう。

　皆さんも、本書にたくさん登場するグラフを見るときは、まず軸に着目し、それが何を表したグラフなのかを先にチェックする癖をつけましょう。日常生活でもその訓練が役に立つ場面があるかもしれません。

● 分類に対する損失関数（クロスエントロピー）

さて、回帰に対する損失関数が平均二乗誤差であること
を知ったうえで、次は分類に対する損失関数を学びます。

まず、教師あり学習の課題に対してどのような損失関数
を用いるべきかを表3-4にまとめます。

表に記されているように、どの損失関数を用いるべきか
はニューロンの活性化関数と結びついています。本章であ
つかうクラス数2の分類では、活性化関数としてロジスティ
ック関数、損失関数としてはクロスエントロピーと呼ば
れるものを用います。

表3-4　教師あり学習の課題と、活性化関数、損失関数の対応

課題	活性化関数	損失関数	登場する章
回帰	恒等関数	平均二乗誤差	3章
クラス数2の分類	ロジスティック関数	クロスエントロピー（出力ニューロン数1）	3章、4章
クラス数Mの分類	ソフトマックス関数	クロスエントロピー（出力ニューロン数M）	4章

活性化関数と損失関数を表3-4のように対応付ける理由
は、言葉で表せば「この組み合わせで用いると損失関数を
活性uで微分した結果が、出力とターゲットの誤差となる
から」なのですが、詳細は3-7にて解説します。ここでは
これを「この組み合わせで用いたときにニューロンの学習
にとって良い性質が現れるから」とまとめるにとどめま
す。

さて、本章で取り扱うニューロン1つに対するクロスエ

ントロピーを考えます。これまで通り N 個のデータのうち s 番目のデータを x_s、それに対する出力を y_s、ターゲットを t_s としたとき、クロスエントロピーは次式で定義されます。

$$L = \frac{1}{N} \sum_{s=1}^{N} (-t_s \log y_s - (1-t_s) \log(1-y_s)) \quad \cdots (3\text{-}2)$$

この式は、106ページの **(3-1) 式** に比べるとイメージしにくい関数となっています。当面は **(3-2) 式** が損失関数の性質である「すべての s に対して出力 y_s がターゲット t_s と等しいときのみ0となり、それ以外は正の値をとる」という条件を満たしていることの理解を目指しましょう。

● **対数関数**

まず、本書で初めて登場した対数関数（log）について解説します。図3-10に示したように、対数関数 $y = \log x$ は **2章** で学んだ指数関数 $y = e^x$ の逆関数となっており、縦

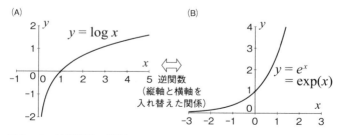

図3-10　対数関数の解説
（A）の対数関数は（B）の指数関数の逆関数である

111

軸と横軸を入れ替えた関係となっています。

　なお、より詳細に言うと、1でない正の定数aに対する指数関数$y = a^x$の逆関数が$y = \log_a x$と書かれ、これを「aを底とする対数」といいます。本書ではaがネイピア数eのとき、すなわち$y = \log_e x$のときしか用いず、これを省略して$y = \log x$と書いています。eを底とする対数は自然対数と呼ばれます。

● 対数関数の日常での利用

　対数関数を日常で見かける機会として、「べき乗の数を等間隔に表示する」という場合が挙げられます。

　ブルーバックスの書籍を愛読している方なら、地球や宇宙の歴史について語るとき長い時間のスケールで現象が議論されることをご存知でしょう。たとえば「地球の誕生は約46億年前、ホモサピエンスの登場は約20万年前」であるとか、「太陽系の形成は宇宙誕生からおよそ80億年後、ほぼすべての恒星が寿命を終えるのが宇宙誕生から1兆年後」などです。

　このように広い範囲の数値を通常の数直線上に表示する場合、値が偏るためうまく表示できません。たとえば、次ページの図3-11の横軸（x軸）には、10、100、1000という3つの数値が表示されています。図中に示されているように、これらは10のべき乗の数値です。この図を見ると10と100の間隔に比べて100と1000の間隔がとても広いことが読み取れます。ここにたとえばより小さい数値として1、より大きい数値として10000をさらに表示しようとし

てもうまく表示できないことがわかるでしょう。

　この横軸の数値xに対数関数を適用して（log xを計算して）縦軸に表示すると、図に示されているようにべき乗の数値が等間隔に並びます。これは、1よりも大きい数（10^1、10^2、10^3、…）だけでなく、1よりも小さい数（10^{-1}、10^{-2}、10^{-3}、…、すなわち0.1、0.01、0.001、…）に対しても成り立ちます。

　このように、小さい数から大きい数までを含むべき乗の数値を等間隔に表示できるのが対数の特徴です。このような数値の表現方法をログスケール表示、対数表示などといいます。日常用語で言えば、「1より小さい数を拡大し、1より大きい数を縮小して表示する効果がある」ということです。

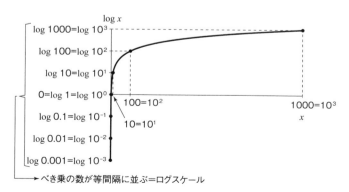

図3-11　対数関数を適用すると、べき乗の数が等間隔に並ぶ

● クロスエントロピーのイメージ（$N=1$の場合）

対数関数のイメージがつかめたところで、111ページの(3-2)式のクロスエントロピーの解説に戻りましょう。まずはデータ数が1、すなわち$N=1$の場合を考えましょう。このときクロスエントロピーは

$$L = -t_1 \log y_1 - (1-t_1) \log (1-y_1) \qquad \cdots (3\text{-}3)$$

となります。

ここで、ターゲットt_1の値は0か1の整数しかとらないことを思い出しましょう。それに注意すると、$-t_1 \log y_1$という項は$t_1=0$のときに0となり、$-(1-t_1) \log (1-y_1)$という項は$t_1=1$のときに0となることがわかります。つまり、(3-3)式の2つの項のうち、ターゲットの値によりどちらか1つの項しか残らないのです。

以上を踏まえて$N=1$のクロスエントロピー(3-3)式をグラフ化すると次ページの図3-12(A)および図3-12(B)のようになります。まず、図3-12(A)の場合を解説します。こちらは$t_1=1$のときのグラフです。このとき(3-3)式は$L=-\log y_1$のみが残ります。これは、111ページの図3-10(A)の対数関数の0と1の間の部分を上下逆転したグラフです。y_1が$t_1(=1)$に一致したときに0となり、それ以外では正の値をとるグラフとなっていることがわかります。

図3-12(B)は$t_1=0$のときのグラフです。$L=-\log (1-y_1)$であり、これは図3-12(A)のグラフを0と1の範囲で左右反転させたグラフとなります。やはりy_1が$t_1(=0)$に一致したときに0となり、それ以外では正の値を

とるグラフです。

● クロスエントロピーのイメージ（$N = 2$の場合）

　$N = 2$の場合、データが2つですからターゲットと出力もそれぞれ2つあります。t_1およびt_2がそれぞれ1, 0であるときのクロスエントロピーを表示したのが図3-12(C)です。y_1およびy_2がそれぞれt_1、t_2に等しいときに0となり、それ以外は正の値をとるグラフなっていることがわかります。

(A) $N = 1, t_1 = 1$ の場合

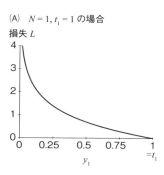

(B) $N = 1, t_1 = 0$ の場合

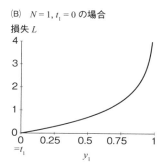

(C) $N = 2, t_1 = 1, t_2 = 0$ の場合

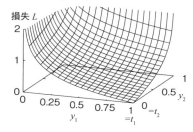

図3-12　分類で用いられるクロスエントロピーによる損失関数

t_1およびt_2の値の組み合わせが異なる場合も、損失が0となる位置が変わるだけで同様のグラフとなることは$N=1$のときからの類推で想像できるでしょう。

3-5 重みベクトルとバイアスの関数としての損失関数

3-5では、損失関数をニューロンの出力の関数としてではなく重みベクトルとバイアスの関数として理解します。そうしないと損失関数を学習に用いることができないためです。

● 損失関数はどの変数の関数か

108ページの図3-9や前ページの図3-12では、損失関数をy_sのグラフとして描いて理解しました。y_sとは、s番目のデータx_sに対するニューロンの出力なのでした。それにより、すべてのsでy_sがターゲットt_sに一致すれば損失関数が0となり、それが求める状態であることを確認しました。

しかし、y_sはデータx_sによって決まるものですから、自由に変更できるわけではありません。自由に変更できるのは、**2章**の演習で体験したように重みベクトルwやバイアスbです。すなわち、y_sを直接変更するのではなく、wやbを変更することでy_sを間接的に変化させt_sに近づけることが目標となります。

これを言い換えると、損失関数Lをy_sの関数として考え

るのではなく、wとbの関数として考える必要があるということです。

● **合成関数としてのL**

　以上のことを式で解説しましょう。まず、損失関数Lをy_sの関数とみなした場合、$L(y_s)$と書くことができます。高校で学んだ$y = f(x)$のように、変数をかっこの中に入れて表現するのでしたね。

　なお、厳密にはy_sの関数ではなく$y_1, y_2, \cdots, y_N$の関数と言った方が正確ですが、表記が複雑になるので簡略化してy_sの関数と呼ぶことにします。

　さて、y_sは下記のようにニューロンの定義に基づいて計算されるのでした。

$$y_s = f(u_s) \qquad \cdots (3\text{-}4)$$

$$u_s = \boldsymbol{w} \cdot \boldsymbol{x}_s + b \qquad \cdots (3\text{-}5)$$

　本章では活性化関数$f(u)$としてロジスティック関数を用います。活性の文字としてuではなくu_sを用いるのは**(3-5) 式**が初めてですが、これは「入力$\boldsymbol{x}_s$に対して計算される活性」という意味です。ここで、**(3-5) 式**の右辺のうち、自由に変更できるのは重みベクトル$\boldsymbol{w}$とバイアスbなのでした。すなわち、活性u_sは$\boldsymbol{w}$とbの関数とみなせますので、変数をかっこ内に記すことで$u_s(\boldsymbol{w}, b)$と書くことができます。今回のように変数が複数ある場合は「, 」でつないでカッコ内に表記します。

なお、カッコの中に変数としてベクトルwが入っているのは見慣れないという方もいると思いますが、これは、カッコの中にn個の成分およびbを書いて

$$u_s(w_1, w_2, \cdots, w_n, b)$$

とした式の省略形と考えて構いません。すなわち、u_sは$n+1$個の変数をもつ関数ということです。

　$u_s(w, b)$を前ページの（3-4）式の右辺に代入し、それをさらに$L(y_s)$に代入することで、損失関数は$L(f(u_s(w, b)))$と書くことができます。これは、関数u_sと関数fと関数Lの**合成関数**です。これを$L(w, b)$と書き直します。この$L(w, b)$が0に近づけるべき関数です。

● 合成関数の復習

　ところで、高校の数学Ⅲで学ぶ合成関数についてご存知でしょうか。高校で学ぶ関数を用いた例で簡単に解説しておきましょう。以下の2つの関数を考えます。

$$y = f(u) = e^u = \exp(u) \qquad \cdots(3\text{-}6)$$

$$u(x) = x^2 \qquad \cdots(3\text{-}7)$$

　（3-6）式は49ページの図2-6で学んだ指数関数であり、（3-7）式は放物線を表す2次関数です。
　（3-7）式を（3-6）式に代入すると

$$y = f(u(x)) = \exp(x^2)$$

となります。これは「2乗した数を指数関数に与える」という意味になりますが、着目すべきは $f(u(x))$ の部分です。これは「x を使って u（2乗）を計算し、それを使って f（指数関数）を計算する」という意味で、右から左（u から f）のように計算の連鎖が続いていくことを意味します。

　ですから、損失関数の $L(f(u_s(w, b)))$ も、右から左に向かって順に「w と b を用いて u_s（活性）を計算し、その値を用いて f（活性化関数による出力）を計算し、その値を用いて L（損失）を計算する」という意味になります。

● $L(w, b)$ のイメージ

　以上で、w と b の関数としての損失関数 $L(w, b)$ を考えるべきであることがわかりました。

　この $L(w, b)$ を実際にグラフ表示してイメージをつかむということはあまり行われません。通常、重みベクトル w は最も次元が低い場合でも2次元ベクトル $w=(w_1, w_2)$ となり、これにバイアス b を合わせると変数の個数は w_1、w_2、b の3個です。この3個の変数に対して L を計算してグラフ表示したいわけですから結果の表示には4次元空間が必要となり、直接描くのは不可能なのです。

　しかし、イメージがあった方が今後の議論を理解しやすいでしょうから、w_1、w_2、b の3個の変数に制限を設けて2個に減らし、それに対して損失 L を計算してグラフ表示してみましょう。

● 論理演算ANDの$L(w, b)$

　グラフ表示するのは90ページの図3-2(A)の論理演算ANDです。図3-2(A)の表に基づけばターゲットは$t_1 = t_2 = t_3 = 0$、$t_4 = 1$ですので、111ページの（3-2）式に代入すると以下のようになります。

$$L = \frac{1}{4} \left(-\log(1 - y_1) - \log(1 - y_2) - \log(1 - y_3) - \log y_4 \right)$$

$$\cdots(3\text{-}8)$$

　それぞれのy_s $(s = 1, 2, 3, 4)$は117ページの（3-4）式と（3-5）式で定義されるのでした。これらを（3-8）式に代入すると、Lはw_1、w_2、bの関数となります。式は複雑ですので直接書くことはしません。

　先ほど述べたように、このままではグラフ表示に4次元空間が必要になってしまいます。そこで、制限を設けて3つの変数w_1、w_2、bを2つの変数w_1、w_2のみに減らします。ANDにおけるw_1、w_2、bは、97ページの図3-5(A)のようにターゲット0とターゲット1の境界となる直線$w_1 x_1 + w_2 x_2 + b = 0$を決めるのでした。そこで、この直線に「点（0.75, 0.75）を必ず通る」という制約をつけてみましょう。その点を通り、直線の方向（または法線ベクトル）のみがw_1とw_2とで変更される、というイメージです。その制約は

$$b = -0.75(w_1 + w_2) \qquad \cdots(3\text{-}9)$$

とbを定めることで実現されます。

● **論理演算ANDの $L(w, b)$ のグラフ表示**

　結局、前ページの（3-8）式に117ページの（3-4）式、（3-5）式、前ページの（3-9）式を代入することで損失 L を w_1、w_2 のみの関数として表すことができます。それをグラフ表示したのが図3-13(A)です。グラフの底面の軸が w_1 と w_2 であることに注意してください。そのようなグラフは本書ではここで初めて登場しました。

　損失 L が0となることを目指すのですから、w_1 と w_2 とをともに大きくすればよいことがわかります。図3-13(A)では w_1 と w_2 とがともに10になると損失 L がほぼ0となっているように見えます。

　しかし、図3-13(A)の縦軸をログスケール表示した図3-13(B)を見ると、w_1 と w_2 を大きくすればするほど、損失 L はどんどん小さくなることがわかります。ここで、113ページの図3-11で解説した「ログスケールにより1以下の数が拡大される」という性質がさっそく使われていることに注意しましょう。

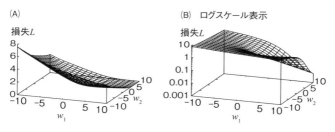

図3-13　論理演算ANDに対する損失関数。b に制限を設け、w_1 と w_2 のみの関数として表示

w_1とw_2を大きくするほど損失Lが小さくなるとはどういうことでしょうか。それは、97ページの図3-5(A)の境界の直線を$2k\,x_1 + 2k\,x_2 - 3k = 0$のように定数$k$を用いて表したとき、$k$を大きくすればするほど、ターゲットと出力が近い値をとることを意味します。その理由は、図3-5(B)の曲面が急激に変化するようになり、ターゲットと曲面がさらに近づいていくからでしたね。そのことは**2章**のExcel演習でも確かめることができます。

このように、損失Lを減少させることとwとbを調整することが対応していることをイメージできることが大切です。

3-6 損失関数の微分を用いた重みとバイアスの調整

3-6では重みとバイアスをどのように調整すれば損失関数を減少させられるかを考えます。そのためには損失関数の微分が必要になることを解説します。

●損失関数Lを変化させる変数がw_1のみの場合

まずは損失関数Lが1つの重みw_1のみの関数である場合に、どのようにw_1を変化させるとLを減少させられるかを考えましょう。通常は2つ目以降の重みやバイアスbがあるので「w_1のみの関数」ということはあり得ないのですが、この場合を理解できないと先に進めないのでお付き合いください。

次ページの図3-14のように放物線のような形状の損失

関数Lが、あるw_1で0となる場合を考えましょう。121ページの図3-13のような実際の損失関数Lとかなり異なる形状をしていますが、このように綺麗な損失関数Lで解説した方が理解しやすいためですのでご了承ください。

いま、重みw_1がLを0にしない値、たとえば図3-14の「重み(1)」や「重み(2)」の位置にあるとしましょう。目標はLを0とする重みへとw_1を調整することです。

我々はグラフ全体を見ていますので、重み(1)の位置から重みを小さく、重み(2)の位置から重みを大きくすればよいことがひと目でわかります。

しかし、通常は損失関数Lの形を事前に知ることはできません。わかるのは、ある重み付近の損失Lだけです。それだけの情報にもとづいて損失Lを小さくする重みを見つけるのは、例えるなら暗闇の中で迷宮の出口を手探りで探すようなものです。

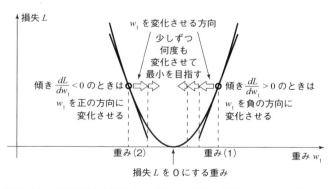

図3-14　損失関数Lを減少させるための微分の利用（w_1のみの場合）

●接線を用いた L の近似

そこで、w_1 を調整するための手がかりとして損失関数 L の w_1 での微分係数 dL/dw_1 を用いることにします。

高校の数学 II で学ぶように、dL/dw_1 は損失関数 L 上の点における接線の傾きを表すのでした。前ページの図3-14には重み(1)の位置と重み(2)の位置の両方に、それぞれの位置での接線が表示されています。$dL/dw_1 > 0$ ならば傾きが正ですので右肩上がりの接線となり、$dL/dw_1 < 0$ ならば傾きが負ですので右肩下がりの接線となるのでしたね。

高校数学において接線は演習問題で頻繁に取り扱われますので、「接線がなぜそんなに大事なんだろう？」と感じたことのある方は多いかもしれません。

実際のところ、ここでの目標の場合「接する」という事実が大事なのではなく、「接線がその点における損失関数 L の近似となっている」ことが大事なのです。

すでに述べたように、損失関数 L の形状は通常わかりません。しかし、$dL/dw_1 > 0$ であるとわかればその点付近では損失関数 L は右肩上がりの直線に近似できることになります。その場合、w_1 を小さくすれば L は減少することがわかります（図の重み(1)の場合）。同様に、$dL/dw_1 < 0$ のときは w_1 を大きくすれば L が減少することがわかります（図の重み(2)の場合）。

これが、損失関数 L の微分係数 dL/dw_1 を w_1 の調整のための手がかりとする、ということの意味です。

● **w_1 の調整**

以上の考察にもとづくと、w_1 の調整は次式により行えば良いことがわかります。

$$w_1' = w_1 - \eta \frac{dL}{dw_1} \qquad \cdots (3\text{-}10)$$

w_1 は調整前の重み、w_1' は調整後の重みです。η はギリシャ文字でイータ（エータ）と読み、ここでは学習率と呼ばれる正の定数を表します。微分係数 dL/dw_1 にマイナス記号がついていますので、$dL/dw_1 > 0$ なら w_1 を減らし、$dL/dw_1 < 0$ なら w_1 を増やすことを意味します。

学習率 η として通常は 1 より小さい値を定め、w_1 が少しずつ変更されるようにします。「少しずつ変更される」ということのイメージを 123 ページの図 3-14 では白抜きの矢印で表しました。一気に $L = 0$ を満たす w_1 を目指すわけではなく、慎重に少しずつ w_1 を調整するイメージです。L の形はわからないのですから、学習率 η が大きすぎると w_1 の変化が大きすぎて $L = 0$ を満たす w_1 を通り過ぎてしまうから、と考えても良いでしょう。

● **損失関数 L を変化させる変数が w_1 と w_2 の場合**

ここまでは、損失関数 L を変化させる変数が w_1 のみの場合に、w_1 をどう調整するべきかを解説しました。

より現実の課題に近づけるため、L が w_1 と w_2 の 2 つの重みにより変化する場合を解説しましょう。この場合を理解すれば後は変数がいくつに増えても同じ考え方を適用で

きます。

この場合、図3-15(A)のように、損失関数Lはw_1とw_2によって変化し、あるw_1とw_2の組み合わせで$L = 0$となるグラフとして理解できます。

まず、「w_1をどう調整するべきか」を考えます。このとき、図3-15(A)に描かれているように、w_2が一定値をとる平面でのLのグラフの切り口を考えます。そして、切り口上の点（図中の白丸で表された点）での切り口の図形に対する接線を考えます。あとはこれまでと同様、接線の傾きが正ならw_1を減らし、接線の傾きが負ならw_1を増やします。

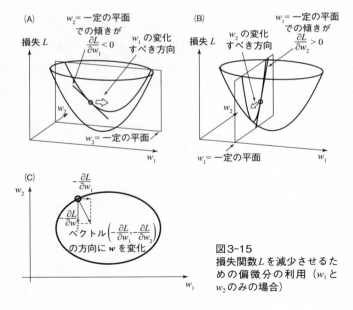

図3-15
損失関数Lを減少させるための偏微分の利用（w_1とw_2のみの場合）

●損失関数Lの偏微分を手掛かりにw_1とw_2を調整

　前ページの図3-15(A)中にも記されている通り、「w_2が一定値をとる平面における、Lのw_1での微分」を「Lのw_1での偏微分」といい、

$$\frac{\partial L}{\partial w_1}$$

と書きます。

　∂の記号自体は「デル」、「ラウンドディー」、「パーシャルディー」などと読まれることが多いようです。偏微分記号の$\partial L / \partial w_1$の読み方は、通常の微分と変わらず「ディーエル ディーダブリューワン」と読んだり、「ディー」の部分を「デル」や「ラウンド」に置き換えて読んだりします。

　偏微分は高校では学びません。しかし、考え方や計算の手続き自体は難しくなく、図3-15(A)に描かれているようにw_1以外の変数（ここではw_2）を一定と考えて微分を実行するだけです。

　同様に、w_2をどう調整するかが図3-15(B)に描かれています。先ほどとは逆に、w_1が一定値をとる平面を考え、その平面上でLのw_2の変化に対する傾き$\partial L / \partial w_2$を計算して$w_2$を変化させる向きを決めます。

　図3-15(A)と図3-15(B)による解説をまとめ、L軸の正の方向からw_1とw_2を調整する様子を眺めたのが図3-15(C)です。式で書けば

$$w_1' = w_1 - \eta \frac{\partial L}{\partial w_1} \qquad \cdots (3\text{-}11)$$

$$w_2' = w_2 - \eta \frac{\partial L}{\partial w_2} \qquad \cdots (3\text{-}12)$$

となります。**(3-10) 式**（125ページ）と同様、w_1'とw_2'は調整後の重みです。

　ベクトル表記$\boldsymbol{w} = (w_1, w_2)$を用いれば、126ページの図3-15(C)に記されているようにベクトル$\boldsymbol{w}$を

$$\left(-\frac{\partial L}{\partial w_1}, -\frac{\partial L}{\partial w_2} \right)$$

というベクトルの方向に調整する、という言い方もできます。

● w_1とw_2の調整のイメージ

　さて、**(3-11) 式**および**(3-12) 式**に基づいて実際にw_1とw_2を調整すると、Lはどう変化するか見てみましょう。すでに述べたように、学習率ηには小さな値を定めますので、$\boldsymbol{w}$の変化はゆっくりしたものとなります。

　次ページの図3-16は、$\boldsymbol{w}$が変化するとともにLが減少している様子を示しています。擬人化した言い方をすれば、Lのグラフが作る坂を下るように$\boldsymbol{w}$が変化するということです。

　この様子をL軸の正の方向から眺め、$\boldsymbol{w}$の変化のみに着

目したのが**図3-16**(B)です。このとき、図中に黒丸で記したLの最下点にwは到達できていないことに注意してください。

その理由は、wを変化させる量は、前ページの**(3-11)式**と**(3-12)式**に記したように、Lのグラフの傾きである$\partial L/\partial w_1$と$\partial L/\partial w_2$に比例するためです。Lの最下点付近ではグラフの傾きはほぼ0となり、wがほとんど変化しなくなります。そのため、wはなかなかLの最下点に到達できないのです。

● w_1とw_2の調整による損失Lの変化

図3-16(A)および**図3-16**(B)のようにwが変化したと

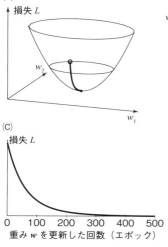

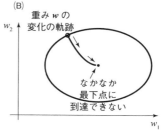

図3-16
w_1とw_2が変化して損失関数Lが減少する様子
(A)(w_1, w_2, L)空間での変化
(B)(w_1, w_2)平面での変化
(C)w_1とw_2を変化させた回数（エポック）ごとのLの減少

き、損失Lがそれに伴ってどう変化するかを示したのが前ページの図3-16(C)です。横軸はwを調整した回数を表した量で、「**エポック**」と呼ばれます。時間とともにwは変化するわけですから、エポックは時間に類似した量だと考えると意味をとらえやすいでしょう。

なお、時間とともに変化するグラフが本書で登場したのは図3-16(C)が初めてです。ですから、これまでのグラフ（xの性質を示したグラフ、Lとy_sのグラフ、Lとw_iのグラフ）とは全く異なるものとして頭を切り替えてご覧ください。

まず、損失Lが0に近い値に到達するまでに、500エポック程度かかっていることがわかります。実際の学習では、これより大きいエポック数（数千、数万、…）で損失Lが0に近づくこともあります。

なお、図3-16(C)のようにある量が徐々にある値に近づくとき、（ある値に）**収束する**、という言い方をします。2-3でもこの言葉を用いましたね。図3-16(C)は損失Lが0に収束する様子を示しています。

また、損失Lが0に近づくにつれ、損失Lの変化の割合がゆっくりになっていることもわかるでしょう。これは、先ほど述べた「wはなかなかLの最下点に到達できない」ということが別のグラフで表現されたものと言えます。

●**学習の進行を損失Lのエポックごとの変化で確認する**

さて、これまで損失Lを減少させるために重みベクトルwやバイアスbを調整することを、さまざまなグラフを用

いて解説してきました。具体的には、108ページの図3-9から129ページの図3-16(B)までの多くのグラフがその解説に該当します。

　すでに何度か述べてきたように、損失関数Lのグラフを描くことは通常の課題ではできません。そのため、**ニューラルネットワークの学習において実際に観察することになるのは、図3-16(C)のような、エポックごとの損失Lの変化を表したグラフです**。これは、本書のみに限らず、多くの書籍および研究に当てはまります。

　ですから、ニューラルネットワークについて学ぶときには、図3-16(C)のような損失Lのエポックごとの変化を表したグラフを見て、「重みベクトルwやバイアスbが変化することで損失Lが減少していること」、「それにより入力ベクトルx_sに対する出力y_sがターゲットt_sに近づいていること」などをイメージできなければなりません。

　しかし図3-16(C)を見るとわかるように、このグラフには重みベクトルw、バイアスb、入力ベクトルx_s、出力y_s、ターゲットt_sについての情報は何も含まれていません。その状況でグラフが何を意味するかを考えねばならないのです。それが、ニューラルネットワークを学ぶ際に難しい点だろうと思います。

　その難しさを克服するため、本章では図を多用することでそのイメージをつかむ練習をしてきたわけです。

●重みベクトルwとバイアスbの調整についての補足

　損失関数Lが$w=(w_1, w_2, \cdots, w_n)$および$b$により変化する場

合も紹介しておきましょう。これは入力がn次元ベクトルの場合に相当します。

この場合、128ページの（3-11）式や（3-12）式を重みw_iに置き換えた次式が用いられます。

$$w_i' = w_i - \eta \frac{\partial L}{\partial w_i} \quad \cdots (3\text{-}13)$$

また、ここまでバイアスbについての議論をしてきませんでしたが、bについても同様に次式を用います。

$$b' = b - \eta \frac{\partial L}{\partial b} \quad \cdots (3\text{-}14)$$

これまで同様w_i'とb'は調整後の重みとバイアスです。

（3-13）式と（3-14）式を用いた重みとバイアスの変更方法を、**最急降下法**といいます。Lの坂を下るための最も急な方向に重みとバイアスを変化させる方法、という意味です。

3-7　損失関数の微分の計算

3-6から、ニューラルネットワークの学習には損失関数の偏微分$\partial L/\partial w_i$や$\partial L/\partial b$が必要であることがわかりました。**3-7**では、これらの計算方法について解説します。数式の解説が続きますので、難しいと感じた方は演習である**3-8**に進んでも構いません。

●合成関数の微分の復習

損失関数Lが重みベクトル$\boldsymbol{w}=(w_1, w_2, \cdots, w_n)$やバイアス$b$の関数であるとは、**3-5**の冒頭で解説したように、損失関数Lが$L(f(u_s(\boldsymbol{w}, b)))$の形の合成関数であること意味します。これを$w_i$や$b$で偏微分するためには、高校で学んだ**合成関数の微分**の知識が必要です。

なお、正確には「合成関数の偏微分」ですが、「**●損失関数Lの偏微分を手掛かりにw_1とw_2を調整**」（127ページ）で解説したように、偏微分は「他の変数を定数と考えたときの微分」ですから、ここでは微分と偏微分の違いは本質的ではありません。

高校で学んだ合成関数の微分を簡単に思い出しておきましょう。2つの関数

$$y = f(u)$$
$$u = g(x)$$

があったとき、合成関数

$$y = f(g(x))$$

が得られます。このとき、yのxでの微分は次式で書けるのでした。

$$y' = f'(g(x))\, g'(x) \qquad \cdots(3\text{-}15)$$

ここでの「′」は微分の記号を表します。ただし、（**3-15**）**式**のままでは意味がわかりにくいので、次のように書きなおしましょう。

$$\frac{dy}{dx} = \frac{dy}{du} \cdot \frac{du}{dx} \qquad \cdots (3\text{-}16)$$

　ここで、$y = f(u)$ なのですから $f'(u)$ を dy/du で置き換え、$u = g(x)$ なのですから $g'(x)$ を du/dx に置き換えていることに注意してください。**(3-16) 式**の関係を合成関数の微分の**チェーンルール**といいます。

　(3-16) 式の意味を解説すると**図3-17**のようになります。まず、左辺は「x が変化したときの y の変化の割合」を表します。それに対して右辺を右から順に見ると、「x が変化したときの u の変化の割合」に「u が変化したときの y の変化の割合」を掛けたものを意味します。これをもう一歩踏み込んで言えば、「x の変化が u を変化させ、u の変化が y を変化させる」という関係が表されているとみなすことができます。

　さらに、式の形の上では、**図3-17**の点線の部分があたかも約分されたように左辺が得られているとみなすことができます。微分記号は分数とは異なりますので、実際には約分ではないのですが、あたかも約分されているかのよう

あたかもこの部分が約分されたように
左辺が得られる

$$\frac{dy}{dx} = \frac{dy}{du} \cdot \frac{du}{dx}$$

x が変化したときの y の変化の割合 ＝ u が変化したときの y の変化の割合 × x が変化したときの u の変化の割合

図3-17　合成関数の微分の意味

に見える、という関係です。

● **損失関数 L の w_i での偏微分 $\partial L/\partial w_i$ の計算**

復習した合成関数の微分の知識にもとづいて損失関数 L の w_i での偏微分 $\partial L/\partial w_i$ を計算します。

まず、106ページの（3-1）**式**や111ページの（3-2）**式**の損失関数 L を次式のように s 番目のデータごとの損失関数 L_s の平均として書き直しておきます。それにより計算の見通しが立てやすいからです。

$$L = \frac{1}{N}\sum_{s=1}^{N} L_s \qquad \cdots(3\text{-}17)$$

（3-1）**式**の平均二乗誤差の場合は

$$L_s = \frac{1}{2}(y_s - t_s)^2 \qquad \cdots(3\text{-}18)$$

であり、（3-2）**式**のクロスエントロピーの場合は

$$L_s = -t_s \log y_s - (1 - t_s)\log(1 - y_s) \qquad \cdots(3\text{-}19)$$

となります。

すると、L の w_i での偏微分は合成関数の微分を用いて次式のように計算できます。

$$\frac{\partial L}{\partial w_i} = \frac{1}{N}\sum_{s=1}^{N}\frac{\partial L_s}{\partial w_i}$$

$$= \frac{1}{N}\sum_{s=1}^{N}\frac{\partial L_s}{\partial y_s}\frac{\partial y_s}{\partial u_s}\frac{\partial u_s}{\partial w_i} \qquad \cdots(3\text{-}20)$$

先ほどと同様に右辺を右から解釈しておけば、i番目の重みw_iがs番目のデータに対する活性u_sを変化させ、u_sが出力y_sを変化させ、y_sがL_sを変化させるときの変化の割合が式で表されており、それをすべてのデータで平均をとることが示されています。

● 偏微分 $\partial u_s/\partial w_i$ の計算

（3-20）式の右辺の計算のうち、最も右にある$\partial u_s/\partial w_i$は簡単に計算できますので解説しておきましょう。まず、活性u_sはs番目の入力ベクトル$\boldsymbol{x}_s = (x_{s1}, x_{s2}, \cdots, x_{sn})$に対して計算される量ですから、重み$w_i$と次式の関係にあるのでした。

$$u_s = \sum_{i=1}^{n} w_i x_{si} + b$$

$$= w_1 x_{s1} + w_2 x_{s2} + \cdots + w_i x_{si} + \cdots + w_n x_{sn} + b \quad \cdots(3\text{-}21)$$

（3-21）式をw_iで偏微分すると次式のようにx_{si}のみが残ります。

$$\frac{\partial u_s}{\partial w_i} = x_{si} \qquad \cdots(3\text{-}22)$$

（3-22）式が得られた理由は、w_iでの偏微分ではそれ以

外の重みを定数として扱うからです。もちろん、x_{si}やbも
すべて定数です。ですから、前ページの（3-21）式から
（3-22）式への微分は、高校で学んだ1次関数$ax + b$のx
での微分がaであることを利用しています。（3-21）式はx
の関数ではなくw_iでの関数であることに注意すれば（3-
22）式の計算が理解できるでしょう。

　このように、計算自体は難しくなくても、添え字（入力
の成分を表すiや何番目のデータかを表すs）がたくさん
登場するため式が複雑に見える傾向がある、というのは
3-2で述べた通りです。

● 偏微分 $\partial L_s / \partial u_s$ の計算結果

　135ページの（3-17）式の右辺の計算をさらに続けると
紙面が数式で埋まってしまいますので、その解説は付録
PDFで行うこととし、以下では結果のみを記しましょ
う。次式が得られます。

$$\frac{\partial L_s}{\partial y_s}\frac{\partial y_s}{\partial u_s} = y_s - t_s \qquad \cdots(3\text{-}23)$$

　（3-23）式の左辺は、「活性u_sを変化させたときの損失L_s
の変化の割合」を表しています。それが、右辺では「s番
目の入力に対する出力y_sとターゲットt_sの差」を表してい
ます。

　この$y_s - t_s$は、**3-4**で登場した出力の誤差です。すべての
sで$y_s - t_s = 0$を満たす状態は、出力とターゲットが一致する
ことを意味するため、教師あり学習で目指すべき状態なの

でした。

　前ページの（3-23）式は、110ページの**表3-4**の活性化
関数と損失関数の組み合わせを用いた場合、どの場合でも
（3-23）**式**と同等の式が成り立つという意味で重要です。
さらにそれが出力とターゲットの誤差という、直感的に意
味がわかりやすい量となることも注目すべき点です。な
お、**表3-4**のソフトマックス関数の場合は少し注意が必要
ですが、それは**4章**で述べます。

● 偏微分 $\partial L/\partial w_i$ とその意味

　136ページの（3-22）**式**と前ページの（3-23）**式**を136
ページの（3-20）**式**の右辺に代入すると、次式が得られ
ます。

$$\frac{\partial L}{\partial w_i} = \frac{1}{N}\sum_{s=1}^{N}(y_s - t_s)x_{si} \qquad \cdots(3\text{-}24)$$

　（3-24）**式**と132ページの（3-13）**式**を組み合わせるこ
とで、学習によりw_iを変化させることが可能になります。

　（3-24）**式**の直感的な意味を次ページの**図3-18**により解
説しておきましょう。図に描かれているように、ニューロ
ンに入力ベクトル$\boldsymbol{x}_s$が加わり、出力y_sが得られている状況
を想定します。このとき、重みw_iを調整すべきかどうか
を考えます。

　まず、誤差$y_s - t_s$が0である場合、$\boldsymbol{x}_s$に対しては正しい出
力y_sが得られているわけですから、重みw_iの調整は不要で
す。

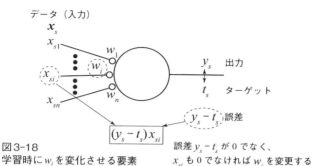

図3-18
学習時にw_iを変化させる要素　　　誤差y_s-t_sが0でなく、
　　　　　　　　　　　　　　　　　x_{si}も0でなければw_iを変更する

　一方、誤差y_s-t_sが0ではない場合、重みw_iを調整すべきでしょうか。この場合、入力$\boldsymbol{x}_s$のi番目の成分x_{si}が0であるときは重みw_iを調整する必要はありません。なぜなら、x_{si}が0ならばw_iがどんな値であってもこの入力x_{si}が活性u_sに与える影響は0だからです。

　ですから、重みw_iを調整すべきであるのは、誤差y_s-t_sと入力x_{si}がともに0ではないときです。前ページの（3-24）式の和記号の内部はそのことを示しています。すなわち、y_s-t_sかx_{si}が0ならば（3-24）式の和の内部は0となり、これは重みw_iを調整する量が0であるということです。

　さらに、（3-24）式の和記号の内部を132ページの（3-13）式と合わせれば、$(y_s-t_s)\,x_{si}$が正ならばw_iを小さくしてy_sを小さくしようとし、$(y_s-t_s)\,x_{si}$が負ならばw_iを大きくしてy_sを大きくしようとする効果があることがわかります。まさにそれが123ページの図3-14で解説したことなのでした。同じことが（3-24）式と（3-13）式により表現さ

れているということです。

なお、138ページの（3-24）式を見るとs番目の入力一つ一つに対してw_iを変更するわけではなく、すべてのsに対して$(y_s-t_s)\,x_{si}$を計算して平均をとってからw_iを変更することに注意してください。そのことは、本章の演習で確認できます。

● 偏微分 $\partial L/\partial b$ の計算

最後に、バイアスbによる損失関数Lの偏微分を考えます。

136ページの（3-21）式より、バイアスbは+1という定数入力に対する重みとみなすことができます。それを図示したものが**図3-19**です。それを式で表すと、入力ベクトルを$\boldsymbol{x}=(x_1, x_2, \cdots, x_n, +1)$、重みベクトルを$\boldsymbol{w}=(w_1, w_2, \cdots, w_n, b)$と定義しなおしたとき、活性$u$は$u=\boldsymbol{w}\cdot\boldsymbol{x}$と書けることを意味します。

ですから、バイアスbによる損失関数Lの偏微分 $\partial L/\partial b$

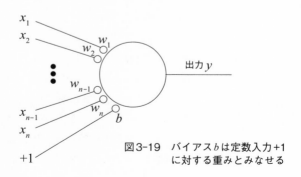

図3-19　バイアスbは定数入力+1に対する重みとみなせる

3章　損失関数の微分によりニューロンを学習させよう

は、重みに対する偏微分 $\partial L/\partial w_i$ に $x_{si} = 1$ を代入すれば良いことになります。すなわち、次式です。

$$\frac{\partial L}{\partial b} = \frac{1}{N}\sum_{s=1}^{N}(y_s - t_s) \qquad \cdots(3\text{-}25)$$

● まとめ

　非常に長い解説となりましたが、132ページの（3-13）式、（3-14）式、138ページの（3-24）式、（3-25）式を用いてニューロンの学習を行えるようになりました。数式だけでは実感がわかないと思いますので、Excel演習により理解を深めましょう。

　なお、（3-13）式、（3-14）式に含まれる学習率 η は、通常学習の進行とともに徐々に値を小さくする、などの工夫が適用されます。以下のExcel演習ではAdamと呼ばれる手法を導入しています。煩雑さを避けるためその解説は**5章**にゆずりますのでご了承ください。

3-8　演習　ニューロンによる論理演算の学習

● 演習の流れ

　ここからはExcelを用いた演習を通して、本章で学んだ内容を確認していきます。

　まず取り扱うのは、90ページの図3-2、97ページの図3-5、99ページの図3-6で紹介したAND、OR、XORの論

理演算です。ANDとORはニューロン1つで学習できますが、XORの学習は**4章**で学ぶニューラルネットワークが必要となるのでした。

　重みベクトル**w**とバイアス**b**を学習させるための手がかりとなる138ページの**（3-24）式**と前ページの**（3-25）式**が計算され、それを用いて132ページの**（3-13）式**、**（3-14）式**で**w**と**b**が調整される流れを演習で確認できます。

●演習ファイルの起動

　それでは、演習ファイル03-01-1n-learn.xlsmを実行しましょう。Excelを用いている方は1Excelフォルダに含まれるファイルを、LibreOffice を用いている方は2Libreフォルダに含まれるファイルを用いるのでした。また、Raspberry Pi用のLibreOfficeをお使いの方は3Libre-RasPiフォルダに格納されたファイルを用いてください。起動時に出るマクロについての警告に対しては**2-5**と同様に適切なボタンをクリックしてマクロを有効にしてください（78ページの**図2-20**）。そうしないと本書のExcelプログラムは実行できません。

　起動時の画面が次ページの**図3-20**(A)です。中央付近にニューロンの絵が描かれており、数値が記入される黒い四角の枠が周囲にいくつかあります。このうち「w1」、「w2」、「b」（①）は**2章**の演習でも登場した重みとバイアスです。これを自動で決定するのがこの演習の目的です。「入力 x1」、「入力 x2」、「u」、「出力 y」（②）は**2章**と**3**

章の解説で何度も登場した2つの入力x_1、x_2、活性u、出力yを表します。

「累積δx1」、「累積δx2」（③）の枠には138ページの（3-24）**式**の$i = 1$と$i = 2$の場合がそれぞれ書き込まれます。すなわち、$(y_s - t_s) x_{si}$を$s = 1, 2, 3, 4$の4つの入力に対して合計します。その結果を$N = 4$で割った後、132ページの（3-13）**式**を用いて重みw_iが変更されます。なお、δとは誤差$y_s - t_s$のことを表し、**4章**で定義される文字を先取りして用いています。

(A)

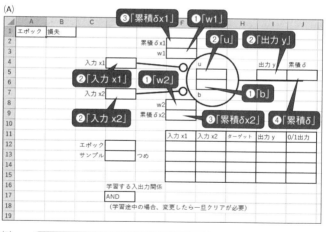

(B)

図3-20　演習ファイル03-01-1n-learn.xlsm を開いたときの様子
　　　　(A)デフォルトのシート
　　　　(B)このファイルに存在する4つのシート

「累積δ」（前ページ図3-20の④）の枠では141ページの
(3-25) 式に基づいて(y_s-t_s)を$s = 1, 2, 3, 4$の４つの入力に
対して合計します。その結果を$N = 4$で割った後、132ペー
ジの (3-14) 式を用いてバイアスbが変更されます。

他にも、入力やターゲットを表示するための表がシート
上にあることもわかります。この表は90ページの図3-2
の表に類似しています。

●演習ファイルのシート

シートの左下部にある図3-20(B)（前ページ）の部分に
着目してください。このファイルには４つのシートが存在
することがわかります。デフォルトは「結果」シートで
す。それ以外には「入力」、「ターゲット」、「入出力関係」
というシートがあります。

「入力」、「ターゲット」のシートはニューロンに入力と
ターゲットを指定するためのシートですが、プログラム内
部で使われるものですので、演習を実行するユーザーが見
る必要はありません。

右端の「入出力関係」というシートは後で見ることにな
ります。2章の演習のようにニューロンへの入力(x_1, x_2)と
出力yの関係を表示するためのシートです。

●ボタンを１回クリックして計算

それでは、ニューロンの計算を実行しましょう。シート
上の「ステップ毎の学習」というボタンを１回クリックし
てみましょう。

　すると、次ページの**図3-21**のように枠の中に計算された数値が書き込まれます。数値が書き込まれたセルの枠は赤色で表示されます。これは、入力 $(x_1, x_2) = (0, 0)$ がニューロンに与えられた状態です。

　このとき、重み (w_1, w_2) とバイアス b にはランダムな数値が与えられます。プログラム開始時に値を設定することを**初期化**と呼びます。重み (w_1, w_2) とバイアス b はランダムに初期化される、ということです。

　これら (x_1, x_2)、(w_1, w_2)、b を用いて活性 u と出力 y が計算され、シート上に表示されています。

　シート上にある表の「出力 y」欄には出力 y がそのまま表示されます。その隣の「0/1出力」欄には出力 y が0.5未満なら0が、y が0.5以上なら1が表示されます。

　そして、「累積 δ x1」、「累積 δ x2」、「累積 δ」では、先ほど述べたように138ページの（3-24）式の「$(y_s - t_s) \, x_{s1}$ の和」および「$(y_s - t_s) \, x_{s2}$ の和」と141ページの（3-25）式の「$y_s - t_s$ の和」のうち $s = 1$ に相当する値が表示されます。

　なお、この時点では重み (w_1, w_2) とバイアス b はランダムに初期化されただけでまだ学習は行われていないことに注意してください。なぜなら、（3-24）式と（3-25）式の和の計算がまだ終わっていないからです。

●ボタンを1回クリックした状態での入力と出力の関係

　この時点で、ニューロンの入力と出力の関係を見てみましょう。**図3-20**(B)（143ページ）の「入出力関係」シートのタブをクリックして表示してみましょう。146〜147

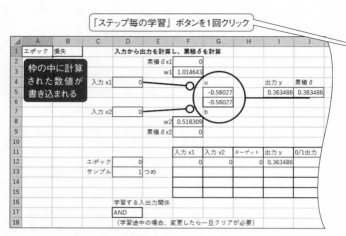

図3-21 「ステップ毎の学習」ボタンを1回クリックしたときの画面

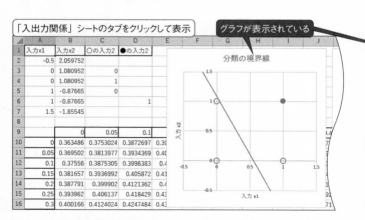

図3-22 「入出力関係」シートにおけるグラフの初期状態

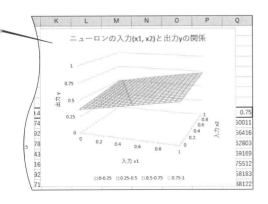

K	L	M	N	O	P	Q	R	S
	ステップ毎の学習		サンプル提示4回、結合更新1回の計5回のクリックで1エポック					
	自動での学習		200エポックまで自動で学習					
	クリア							

損失関数の時間変化

ニューロンの入力(x1, x2)と出力yの関係

ページの図3-22のようなグラフが表示されています。

このグラフの意味は、97ページの図3-5(A)と全く同じです。現時点では重み(w_1, w_2)とバイアスbにはランダムな値がセットされていますので、論理演算を示すグラフにはなっていません。

なお、2つのグラフのうち左側のグラフは、x_1とx_2が-0.5から1.5である範囲にグラフの一部が含まれる場合にのみ表示されることに注意してください。そうでない場合はグラフが表示されませんが、人により結果が異なるためであり、問題はありませんのでそのまま先に進みましょう。

● **ボタンのクリック（2回目～4回目）**

初期化された直後の状態での入出力関係を確認したら、再び図3-20(B)（143ページ）の「結果」シートのタブをクリックしてデフォルトの画面に戻りましょう。

そして、「**ステップ毎の学習**」ボタン（147ページ）を再びクリックましょう。先ほどが1回目のクリックでしたから、ここからは2回目以降のクリックということになります。

2回目から4回目のクリックでは、2番目から4番目の入力がニューロンに与えられます。すなわち、
$(x_1, x_2) = (0, 1)$、$(1, 0)$、$(1, 1)$です。それらの入力に対して活性uと出力yが計算され、シート上に表示されます。

その際、「累積δ x1」、「累積δ x2」、「累積δ」は、138ページの（3-24）式の「$(y_s - t_s)\, x_{s1}$ の和」および「$(y_s - t_s)\, x_{s2}$

の和」と141ページの（3-25）式の「$y_s - t_s$ の和」が、
「$s = 2$ まで計算された値」、「$s = 3$ まで計算された値」、
「$s = 4$ まで計算された値」、と順に更新されていきます。
クリックするたびに新たな s に対する値が足されていくわ
けですから、「累積」と呼んでいるわけです。

　なお、ボタンが4回クリックされ、$s = 4$ までの和が計
算されると、（3-24）式の和と（3-25）式の和の計算が終
わり、132ページの（3-13）式と（3-14）式を用いて重み
(w_1, w_2) とバイアス b を変更できるようになります。

● 5回目のボタンのクリックで1エポック

　それでは、「ステップ毎の学習」ボタンの5回目のクリ
ックを実行してみましょう。次ページの図3-23のように
Excelシート上でw1、w2、bの値が変更され、その枠が
赤くなります。ボタン5回のクリックでようやく重みとバ
イアスが変更されたわけです。重みとバイアスの変更の回
数をエポックと呼ぶのでしたから、ここで1エポックだけ
学習が進んだことになります。

　ここで、「入出力関係」シートのタブをクリックしてグ
ラフを見てみましょう。筆者の場合の例が151ページの図
3-24です。146～147ページの図3-22のグラフと見比べ
ると、グラフが少し変化していることがわかります。

　3-6 で述べたように、重みとバイアスの値の調整は一気
に行うのではなく、少しずつ行うのでした。そのため、図
3-24のようにグラフの変化も少しずつとなるのです。

▲	A	B	C	D	E	F	G	H	I	J
1	エポック	損失		累積δから結合とバイアスを更新						
2	0	0.597685			累積δ x1	0.337333				
3					w1	0.814643				
4			入力 x1	1			u		出力 y	累積δ
5							0.972685		0.725654	1.190331
6							-0.76027			
7			入力 x2	1			b			
8						w2	0.31831			
9	w1、w2、bの値が変更され、				累積δ x2	0.215166				
10	その枠が赤くなる									
11						入力 x1	入力 x2	ターゲット	出力 y	0/1出力
12			エポック	0		0	0	0	0.363486	0
13			サンプル	4	つめ	0	1	0	0.489512	0
14						1	0	0	0.611679	1
15						1	1	1	0.725654	1
16				学習する入出力関係						
17				AND						
18				(学習途中の場合、変更したら一旦クリアが必要)						

図3-23 「ステップ毎の学習」ボタンを5回クリックして学習が1エ
ポック進んだ状態

● 複数エポックの学習が進むと
　損失の時間変化のグラフが現れる

　以上のように、この演習では「ステップ毎の学習」ボタ
ンを5回クリックすることで学習が1エポック進みます。
クリック回数の内訳は、4回が4種類の入力の提示、5回
目が重みとバイアスの更新なのでした。

　想像がつくように、「ステップ毎の学習」ボタンを5の
倍数回ずつクリックすることで学習が進みます。たとえ
ば、先ほどから引き続き6回目から10回目のボタンクリ
ックで、演習開始時から数えて2エポックの学習が進むこ
とになります。

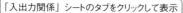

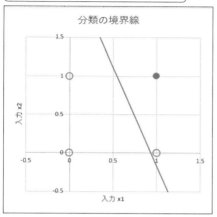

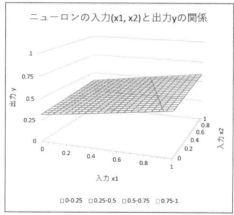

図3-24　「入出力関係」シートにおけるグラフの状態（1エポック後）

そのとき、Excelシート上のグラフにたとえば**図3-25**(A)のような線分が表示されます。これは、学習が1エポック進んだときの損失が「エポック=0に対する数値」として、2エポック進んだときが「エポック=1に対する数値」として描かれ、その2点を結ぶ線分が表示された状態です。

　なお、このグラフもランダムに初期化された重みとバイアスの値によって異なります。さらに、0から1の範囲から外れた損失の場合はグラフが表示されないこともあります。そのような場合も気にせず先を読み進めて構いません。

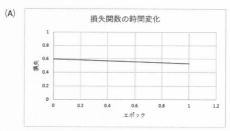

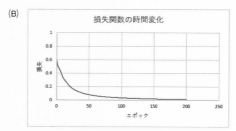

図3-25　エポックごとの損失の変化
(A)2エポック分学習が進行した状態
(B)200エポックまで学習が進行した状態

● **200エポック一気に学習を進める**

このように、5クリックごとに1エポックの学習が進むことがわかりました。しかし、この方法で何百エポックも学習を進めるのは大変です。そのため、「**自動での学習**」ボタンをクリックすることで、学習が自動的に200エポック進むようにしてあります。クリックしてみましょう。

前ページの**図3-25(B)**のように200エポックまで学習が進み、損失が0に近づくことが確認できます。**図3-25(A)**でグラフが表示されなかったという方もこの段階では**図3-25(B)**のように損失が0に近づくグラフが現れたはずです。

このグラフは、129ページの**図3-16(C)**に類似しています。このように損失が0に近づくグラフを見て、学習が進行していることを確認するのでしたね。

論理演算の場合は、課題が簡単なので、グラフを観察することでも学習が進んだことを確認できます。**図3-20(B)**（143ページ）の「入出力関係」シートをクリックして、グラフを確認してみましょう。次ページの**図3-26**のようなグラフが現れているはずです。これは、97ページの**図3-5(A)**、**図3-5(B)**とほぼ同じで、ニューロンが論理演算のANDを学習したことを意味しています。

以上で、重みとバイアスを学習により自動で変更できることを確認できました。

● **2つのシートを同時に閲覧する**

以上でこの演習の一通りの流れを解説し終えました。

「結果」シートで
「自動での学習」ボタンをクリック

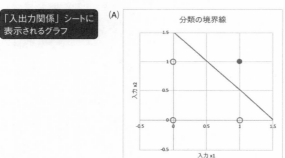

「入出力関係」シートに
表示されるグラフ

(A) 分類の境界線

(B) ニューロンの入力(x1, x2)と出力yの関係

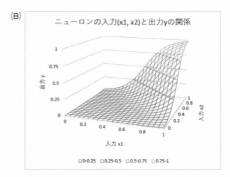

図3-26 「入出力関係」シートにおけるグラフの状態（200エポック後）

「**自動での学習**」を何度かクリックすると、その都度重みとバイアスがランダムに初期化され、重みとバイアスの最終的な値は毎回変化します。しかし、グラフ自体は毎回前ページの**図3-26**のようなグラフが得られるはずです。すなわち、ANDの学習は毎回成功します。

そのような実験を何度も行うと、「**結果**」シートと「**入出力関係**」シートを同時に見たくなるでしょう。その方法を**図3-27**により解説します。

まず、演習を実行中のExcelで、**図3-27**(A)のように「表示」タブをクリックし、「新しいウインドウで開く」ボタンをクリックしてください。macOS用のExcelでは、

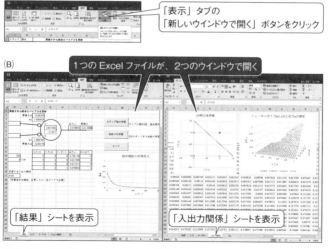

図3-27　複数枚ウインドウを表示する方法

「ウインドウ」メニューの「新しいウインドウを開く」を
選択してください。

　すると、1つのExcelファイルが、2つのウインドウで
開きます。2つのウインドウでそれぞれ別々のシートのタ
ブをクリックすると、前ページの**図3-27**(B)のように「**結
果**」シートと「**入出力関係**」を同時に閲覧できるようにな
ります。

　この状態を元に戻したければ、2つのウインドウのどち
らかを右上の×ボタンで閉じてください。

●ORの学習

　このExcelファイルでは、ANDだけではなくORと
XORの学習も試すことができます。

　「**結果**」シートにある「**学習する入出力関係**」の下の
「**AND**」と書かれたセルをクリックするとセルの右側に下
向きの矢印が現れます。それをクリックすると次ページの
図3-28(A)のようにORとXORも選択できることがわかり
ます。ここではORを選択します。

　その状態で、「**自動での学習**」をクリックすると、OR
の学習が行われます。損失の変化は**図3-28**(B)のように
ANDと区別はつきませんが、「**入出力関係**」シートのグラ
フは**図3-28**(C)、**図3-28**(D)のようになっており、ORの学
習が行われたことがわかります。これらのグラフは、97
ページの**図3-5**(C)、**図3-5**(D)とほぼ同じです。

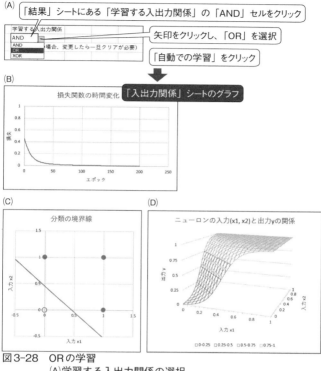

図3-28　ORの学習
　　(A)学習する入出力関係の選択
　　(B)エポックごとの損失の変化
　　(C)、(D)「入出力関係」シートにおけるグラフ

● XORの学習

　同じように、「結果」シートの「学習する入出力関係」
を「XOR」にセットして学習を行ってみましょう。

　学習進行時の損失の変化は次ページの**図3-29**(A)です。
こちらは、損失が0に近づいていかないことを表していま

す。その理由は99ページの図3-6ですでに解説したように、XORは線形分離可能ではなく、ニューロン1つでは正しく分類できないからなのでした。

そのため、「入出力関係」シートのグラフも図3-29(B)と図3-29(C)のように、XORとは全く異なるものとなります。

なお、これまでのいくつかの例と同様、図3-29(B)と図3-29(C)は人により異なりますし、図3-29(B)はグラフが描画範囲内に存在しない場合に描かれないこともあります。

(A)

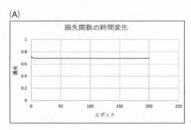

(B)

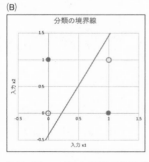

(C)

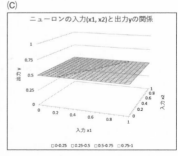

図3-29 XORの学習が失敗する様子
(A)エポックごとの損失の変化
(B)、(C)「入出力関係」シートにおけるグラフ

3-9 演習 ニューロンによる手書き数字の学習

●学習に用いる手書き数字の確認

3-9では手書き数字の学習を演習で確認します。

まずは学習に用いる手書き数字を確認してみましょう。演習ファイルの03-02-digits.xlsxを開きましょう。Excelを用いている方は1Excelフォルダに含まれるファイルを、LibreOfficeを用いている方は2Libreフォルダに含まれるファイルを用いるのでした。また、Raspberry Pi用のLibreOfficeをお使いの方は3Libre-RasPiフォルダに格納されたファイルを用いてください。このファイルにはマクロは含まれていないのでマクロに関する警告は出ません。

ファイルが正常に開かれると次ページの図3-30(A)のように8ピクセル×8ピクセルの手書き数字が縦に1797個表示されていることを確認できます。Excelの1つのセルが1ピクセルとなるようセルを調整しています。

さらに、93ページの図3-3の右側に記されているピクセルごとの数字が、図3-30(A)ではセルに直接書き込まれていることも確認できます。

Raspberry Pi用のファイルでは、セルのグラデーション表示の不具合を回避するため、セルに書き込まれた数字が図3-30と異なっておりますのでご了承ください。

なお、この手書き数字のデータは海外で作られたものであるため、数字7のデータが少し特殊となっていることを注意しておきます。図3-30(B)が数字7を3つ並べた様子

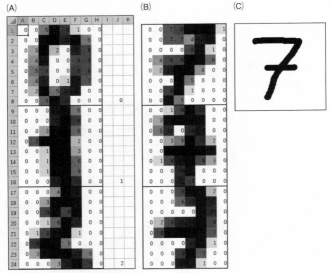

図3-30　演習ファイル03-02-digits.xlsxによる手書き数字の確認
　　　　(A)先頭の3つのデータ
　　　　(B)、(C)「数字7」の記法は特殊なので注意

です。ピクセル数が少ないので見にくいですが、図3-30(C)のように数字7に横向きの線分が追加されています。そのような7を学習用データとして用いていることは頭にとどめておいてください。

● 「数字2」と「それ以外の数字」の分類

それでは、解説でも何度か触れたように「数字2」と「それ以外の数字」の分類を行ってみましょう。手書き数字確認用の03-02-digits.xlsxのウインドウは閉じて構いま

せん。

　演習ファイル03-03-digits-learn.xlsmを開きましょう。こちらのファイルにはマクロが含まれていますので、マクロについての警告に対して**2-5**と同様に適切なボタンをクリックしてマクロを有効にしてください（78ページの**図2-20**）。

　現れたExcelシートには論理演算の場合と同じように「**自動での学習**」ボタンがあります。クリックすると「数字2」と「それ以外の数字」の分類が500エポックに達するまで行われます。データ数が1797、データの次元が64と、論理演算よりは複雑になっているため、学習に少し時間がかかります。

　なお、「**自動での学習**」ボタンを押してしまったものの、時間がかかるため学習を強制終了したくなった場合はその方法を**付録B**に記しましたので必要に応じて参照してください。

　「進捗率」の位置に書かれた数字が100%に達すると学習が完了します。典型的には次ページの**図3-31**のように損失が0へと収束するグラフが得られるでしょう。これが「数字2」と「それ以外の数字」の分類の学習が進行していることを示しているのでしたね。

　図3-31には「正解率」と書かれた数字があります。これは、学習終了時に「数字2」に対して出力1が、「それ以外の数字」に対して出力0が得られた割合を示しています。

　正解率が100%となる場合、「数字2」と「それ以外の数

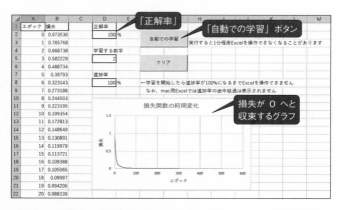

図3-31 演習ファイル03-03-digits-learn.xlsmによる「数字2」と「それ以外の数字」の分類。正解率100%で分類に成功している様子

字」は線形分離可能だということを意味します。逆にこれが100%でなければ間違った結果が含まれること、すなわち「数字2」と「それ以外の数字」を完全には分類できなかったことを示しています。

「**自動での学習**」を何度かクリックして複数回学習を行ってみると、損失の減少のグラフが毎回変化することがわかります。これは、論理演算の場合と同様、ランダムに初期化された重みとバイアスの値が毎回異なるからです。なお、LibreOffice用ファイルは学習完了まで数分以上かかるため、実行は1回に留めるのが無難です。

● **「数字2」と「それ以外の数字」の分類でのいくつかの注意**

複数回の学習の中で、たとえば次ページの図3-32のよ

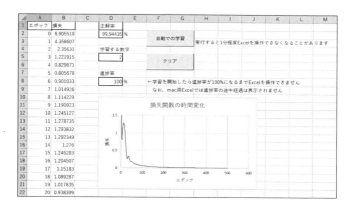

図3-32　「数字2」と「それ以外の数字」の分類。初期の損失が大き
　　　　く増減し、正解率が100％に満たない状態

うに、正解率が100％にならず、損失関数が学習初期のエ
ポック（エポック100以下程度）で大きく増減するケース
が見られると思います。通常、損失関数はエポックが進む
につれておおむね減少するものです。それが大きく増減し
ているのは、この演習ファイルでは、学習を速く進行させ
ることを重視して学習率ηを大きめに設定しているからで
す。そうすると、学習が速く進行する反面、図3-32のよ
うに損失関数が大きく変動してしまうことがあります。学
習率ηを小さめに設定すれば図3-32のような大きな増減
は起きませんが、正解率100％の分類が起こるまでにより
多くのエポック数が必要になり、その結果、Excelによる
計算時間が長くなってしまいます。それを避けるために学
習率ηを大きく設定しているわけです。

さらに、前ページの**図3-32**で正解率が100%に達していないのは、この演習ファイルではエポックが500に達した時点で、正解率の値にかかわらず学習を打ち切ってしまっているためです。より長いエポックの間学習を続ければいずれ正解率100%に達するべきものです。

　このように、線形分離可能なデータ（正解率100%を達成可能なデータ）は、長い時間を掛ければ必ず正解率100%に達する、ということが保証されています。これを**パーセプトロンの収束定理**といいます。これは1960年代のパーセプトロンブームの頃より知られています。

● **学習後の重みベクトル*w*とバイアス*b***

　正解率がいくつであったにせよ、「**自動での学習**」を実行したならその結果得られる重みベクトル*w*とバイアス*b*を確認してみましょう。**図3-33**(A)のように演習ファイル左下にあるシート一覧のうち、「**重み**」シートのタブをクリックしてみましょう。**図3-33**(B)のように数字が並んでいることが確認できるでしょう。論理演算の場合と同様、値は実行ごとに異なります。

(A)

	30		28	0.062498
	31		29	0.059257

| ‹ | › | 結果 | 入力 | ターゲット | 重み | 重みの画像表示 | ⊕ |

(B)

▲	A	B	C	D	E	F	G	H	I
1	-0.03751	-0.20727	0.001682	0.099241	0.079859	-0.1468	-0.04642	-0.01675	-0.23281
2	2								
3									

図3-33　(A) 5つのシート
　　　　(B) 学習後の「重み」シートの状態

　1行目には65個の数字が並んでおり、これはw_1, w_2, $\cdots$, w_{64}, bの順で並んでいます。2行目の「2」はこのwとbが「数字2とそれ以外の数字の分類」を実現するためのものであることを示すために記入されているものです。

　論理演算の場合と同様、wとbが調整されたことで課題の分類が実現されたのでした。論理演算の場合、得られたwとbを用いて154ページの図3-26のようなグラフを描くことでその意味を確認できました。手書き数字の場合そのようなグラフ表示は不可能であることにこれまで何度か触れてきました。

●学習後の重みベクトルwを画像として表示

　その代わりに、得られた重みベクトルwにどのような特徴があるかを別の方法で直感的に理解してみましょう。

　まず、入力xは93ページの図3-3で示されているように、縦横8ピクセルずつ並べたときに画像となることを思い出しましょう。さらに、次ページの図3-34上部に記されているように、活性uの計算に含まれる内積$w \cdot x$はwとxの同じ成分どうしを掛け算して足し合わせるのでした。

　そのように同じ成分どうしに関連があると考えると、図3-34下部のようにwもまた縦横8ピクセルずつ並べたときに意味をもつものと考えられます。

　実際に、前ページの図3-33(B)の1行目に記された重みベクトルwを縦横8ピクセルずつに並べなおし、色付けして表示してみましょう。その結果が「**重みの画像表示**」シートに記されており、次ページの図3-35(A)のようにな

$$\boldsymbol{w} \cdot \boldsymbol{x} = w_1 x_1 + w_2 x_2 + w_3 x_3 + \cdots + w_{64} x_{64}$$

$(w_1, w_2, w_3, w_4, w_5, w_6, w_7, w_8,$

$w_9, w_{10}, w_{11}, w_{12}, w_{13}, w_{14}, w_{15}, w_{16},$

...

...

...

...

...

...

$w_{57}, w_{58}, w_{59}, w_{60}, w_{61}, w_{62}, w_{63}, w_{64})$

$(x_1, x_2, x_3, x_4, x_5, x_6, x_7, x_8,$

$x_9, x_{10}, x_{11}, x_{12}, x_{13}, x_{14}, x_{15}, x_{16},$

...

...

...

...

...

...

$x_{57}, x_{58}, x_{59}, x_{60}, x_{61}, x_{62}, x_{63}, x_{64})$

図3-34　手書き数字の分類では重みベクトル$\boldsymbol{w}$も画像として解釈できる

(A)

(B)

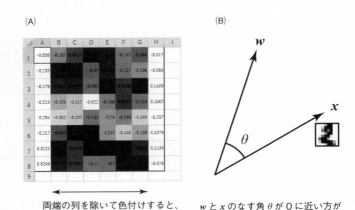

両端の列を除いて色付けすると、
認識する数字「2」に似た
パターンが現れる

$\boldsymbol{w}$と$\boldsymbol{x}$のなす角θが0に近い方が
$\boldsymbol{w} \cdot \boldsymbol{x}$は大きくなる傾向がある

図3-35　(A)重みベクトル$\boldsymbol{w}$の画像表示
　　　　(B)内積$\boldsymbol{w} \cdot \boldsymbol{x}$の復習

ります。この図もまた学習のたびに異なるパターンが得られます。

　まず、この画像状に並べた重みのうち、端のA列目とH列目は色付けの対象外とします。それは、手書き数字の黒いピクセルがA列目とH列目に存在することがあまりなく、その結果この列の重みは不自然に大きいか不自然に小さい値となることが多いためです。

　前ページの図3-35(A)は、B列目からG列目の重みを、大きい重みは黒く、小さい重みは白くなるよう色付けしたものです。

● 学習後の重み w には入力の特徴が反映される

　図3-35(A)を細かい色の変化にとらわれず「粗く」見ると、数字2と似たパターンが見えてくることがわかります。言い換えると、重みベクトル w には手書き数字の2の特徴が反映されているということです。

　そうなる理由は、重みベクトル w と入力ベクトル x の内積 $w \cdot x$ の意味を考えると明らかになります。

　図3-35(B)のように、64次元空間に手書き数字2に対応するベクトル x と重みベクトル w が存在する状況を考えます。内積 $w \cdot x$ の値が大きいと活性 u の値も大きくなり、その結果ニューロンが1を出力する（入力を2と分類する）ようになります。

　内積 $w \cdot x$ を大きくするには、重みベクトル w と入力ベクトル x のなす角 θ を小さくすれば良いことを **2-4** で解説しました。たとえば $\theta = 0$ の場合、重みベクトル w は入力

ベクトルxの正の定数倍$w = ax$となります。ベクトルの定数倍の意味は57ページの図2-10(C)で解説しました。

$w = ax$であるということは、wの成分を縦横8ピクセルずつに並べたときに数字2が現れることを意味します。これが、166ページの図3-35(A)に数字2と似たパターンを見出せる理由です。

ただし、図3-35(A)は数字2そのものではありませんね。なぜかというと、内積$w \cdot x$は「数字2に対して大きな値となる」必要がありますが、それ以外にも「2以外の数字に対して小さな値となり、その結果出力yが0となる」ことも必要だからです。その2つの条件を満たすwが結果的に図3-35(A)のようなパターンとなったというわけです。

● 2以外の数字の分類

ここで用いた演習ファイルでは、数字2以外の分類も可能となっています。たとえば、次ページの図3-36(A)のように「結果」シートにある「学習する数字」の部分を「2」から「0」に変更してみましょう。そうすると、この演習ファイルは「数字0」と「それ以外の数字」の分類を行うようになります。

「自動での学習」ボタンをクリックすると図3-36(B)のように学習が終了します。正解率100%を達成していますので、「数字0」と「それ以外の数字」も線形分離可能なデータであることがわかります。

正解率100%とならなかった場合、何度か学習を繰り返

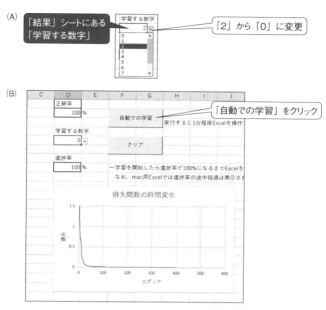

図3-36　「数字0」と「それ以外の数字」の分類
　　　　(A)学習する数字の切り替え、(B)数字0の分類結果、
　　　　(C)数字0のパターンが反映された重みベクトルw

すといずれ正解率100%のケースが現れるでしょう。

　学習後、「重みの画像表示」シートの表示を見ると、前ページの図3-36(C)のように重みベクトルwには数字0の特徴が反映されていることがわかるでしょう。

3-10 演習　学習済みのニューロンによる手書き数字の認識

●学習済みのニューロンを用いた推論

　3-9の演習ファイルを実行することにより、1つのニューロンがたとえば「数字2」と「それ以外の数字」を分類できるようになりました。そのようなニューロンは「数字2」かどうかを判定する**分類器**と呼ばれます。

　この学習済みの分類器を用いると、新しい未知の手書き数字をニューロンに入力したとき、それが数字2かどうかを判定することができます。このように学習済みのニューロン（またはニューラルネットワーク）を用いて未知の入力への判定結果を得ることを**推論**と呼ぶことがあります。

　3-10では3-9の結果を用いて手書き数字の推論を行ってみましょう。ニューロンに与える入力は、皆さんがマウスでExcel上に描く手書き数字です。

●演習ファイルの実行

　それでは、演習ファイルの03-04-digits-recognition.xlsmを実行しましょう。Excelを用いている方は1Excelフォルダに含まれるファイルを、LibreOfficeを用いている方は

2Libre フォルダに含まれるファイルを用いるのでした。また、Raspberry Pi用のLibreOfficeをお使いの方は3Libre-RasPiフォルダに格納されたファイルを用いてください。こちらのファイルにはマクロが含まれていますので、マクロについての警告に対して**2-5**と同様に適切なボタンをクリックしてマクロを有効にしてください。

　図3-37(A)のような画面が開きます。左端の枠内にマウスで数字を描くことになります。その数字はニューロンに入力できる適切なサイズに整形され、2番目の枠に表示されます。その数字が2かどうかの分類結果は右端の枠に表示されます。

　なお、この演習ファイルには図3-37(B)のように3つのシートがあることに着目してください。まずは「プリセット重み」シートのタブをクリックして内容を表示してみま

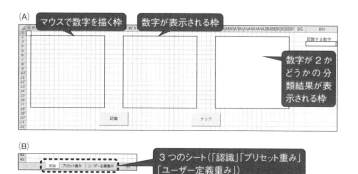

図3-37　学習結果を利用したニューロンによる手書き数字の認識
　　　　(A)演習ファイルの起動画面
　　　　(B)このファイルに存在する3つのシート

しょう。

このシートには、筆者があらかじめ「0を分類できる重みとバイアス」、「1を分類できる重みとバイアス」、…をあらかじめ学習で求めておき、0から9のすべてについてまとめたものです。

それぞれの数字に対して、164ページの図3-33(B)のような重み・バイアス・認識対象が記されており、さらに166ページの図3-35(A)の「重みの画像表示」および学習後の認識率がこのシートには記入されています。

この学習済みの重みとバイアスのセットのうちどれか一つを用いることで、皆さんは手書き数字の学習を改めて実行することなく数字の分類を行うことができます。

● **マウスで数字を描く**

それでは、前ページの図3-37(B)の「認識」シートをクリックしてマウスで数字を描いてみましょう。3つの枠のうち、左端の枠の内部をマウスでクリックすると174ページの図3-39(A)のような大きめの点が描かれます。この枠の内部をマウスで複数回クリックし、図3-39(B)のような数字を描いてみましょう。デフォルトでは「数字2かそれ以外か」を分類するニューロンとなっています。

数字を描き終わったらシート上の「認識」ボタンをクリックしてみましょう。175ページの図3-40のように、認識結果が表示されます。2番目の枠には、皆さんが描いた数字を縦横8ピクセルずつのサイズに変換したものが描画されます。それだけではなく、皆さんが描いた数字が枠内

の左右に偏っていたり小さく描かれていた場合に、数字を中央に移動して大きく表示しなおすという処理も行っています。

「**クリア**」ボタンを押すと皆さんの描いた数字が消されます。別の数字を描くなどして、実験を繰り返してみましょう。認識率がどの程度であるか体感できると思います。どのように感じるかは人それぞれだとは思いますが、ニューロン1つでも思いのほか数字を認識できることがわかるのではないでしょうか。

●ニューロンはどのように数字を認識しているのか

ではこのとき、ニューロンはどのように数字2を認識しているのでしょうか。これまで解説してきたように、皆さんが描いた数字が64次元ベクトルxとなり、それに重みベクトルwとバイアスbを用いて計算した活性$u = w \cdot x + b$が正の値をとれば、ニューロンの出力yは0.5を超え、その結果出力が1（描かれた数字は2）と判定されるのでした。

ですから、内積$w \cdot x$が正の大きな値をとれば、2と判定される可能性は大きくなります。この演習では重みベクトルwは学習済みのため変化しませんので、入力ベクトルxの方をwに類似したベクトルとすれば、2と判定される可能性は大きくなるでしょう。

実際に試してみましょう。数字2を分類するための重みベクトルwは次ページの**図3-38**の左下に表示されています。その表示のうち、黒色の部分はwの成分が大きい位置を示しています。入力ベクトルxの似た位置に黒い点を配

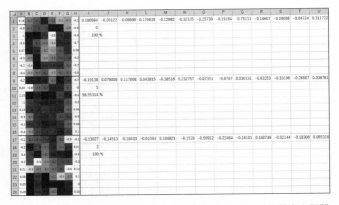

図3-38 「プリセット重み」シートに存在する、0〜9の数字を認識
するための重みベクトルとバイアス

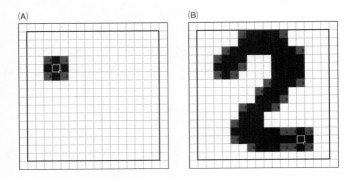

図3-39 数字2をマウスで描く
(A)マウスクリックで点が打たれる
(B)点をたくさん打って数字を描く

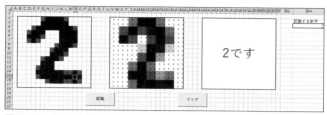

図3-40　数字2を認識させた結果

置して認識した結果が**図3-41**です。明らかに数字2とは
異なるパターンであるにもかかわらず2であると判定され
ています。その理由は、**w**の成分が大きい位置で**x**の成分
も大きく（黒く）なっており、その結果活性uが大きくな
ったためです。

　この結果の解釈として、「ニューロンは数字2という概
念を学習しているわけではなく、数字2に類似した白と黒
のパターンを学習している」という言い方もできますし、
「ニューロンは入力データに欠けた箇所があっても数字を
正しく認識できる」という言い方もできるでしょう。

　なお、**図3-41**のような実験を行う際、左端の枠内では
枠の広い範囲に分布するよう点を打ちましょう。そうしな

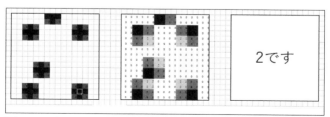

図3-41　欠けのある数字でも内積$w \cdot x$が大きければ認識できる

175

いと、左から2番目の枠で画像が拡大されるなどの理由で
点の位置がずれてしまうからです。

● さまざまな数字の分類を試してみよう

数字2を分類できるニューロンに2以外の数値を描いて
認識させると、図3-42(A)のように2ではないと判定され
ます。

また、右側の「認識する数字」の部分の数値を変更する
こともできます。図3-42(B)は「認識する数字」を0に設
定し認識を行った様子です。0であると判定されているこ
とがわかります。これは、174ページの図3-38の「プリ
セット重み」から、数値0に対応する重みベクトルwとバ
イアスbをニューロンに設定することで実現しています。

(A)

(B)

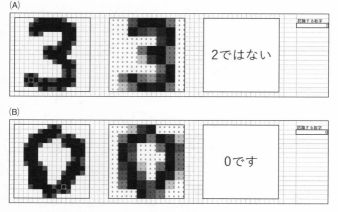

図3-42　(A)数字3を「2ではない」と判定している様子
　　　　(B)数字0を「0です」と判定している様子

● 自分で求めた重みベクトル *w* とバイアス *b* で
　数字を認識する方法

　以上の演習では、筆者があらかじめ学習により得た重み
ベクトル *w* とバイアス *b* を用いて実験を行いました。これ
を、自分で求めた *w* と *b* で実験を行うよう変更すること も
できます。結果が大きく変化するわけではないので必ずし
も実行する必要はありませんが、その方法のみ記しておき
ます。

1．演習ファイル03-03-digits-learn.xlsmで「**自動での学
　　習**」を実行する。

2．そのまま「**重み**」シートのタブをクリックし、
　　Ctrl-A（キーボードのCtrlキーを押しながらAキー
　　を押す）により数値をすべて選択する。さらに、
　　Ctrl-C（キーボードのCtrlキーを押しながらCキーを
　　押す）により、選択した数値をコピーする。

3．演習ファイル03-04-digits-recognition.xlsmを開き、
　　「**ユーザー定義重み**」シートのタブをクリックする。

4．そこでCtrl-V（キーボードのCtrlキーを押しながら
　　Vキーを押す）により、先ほどコピーした数値を貼り
　　付ける。

5．03-04-digits-recognition.xlsmの「**認識**」シートに移動
　　し、「**認識する数字**」を「**ユーザー定義**」にセットす
　　る。

　以上の準備により、自分で学習して得た *w* と *b* で認識が
行われます。

●まとめ

　本章ではニューロンの重みベクトルwとバイアスbを学習によって変更する方法について解説し、それにより何が可能になるかをExcelによる演習で確認しました。

　非常に長い解説でしたが、ここで学んだ概念は**4章**以降のニューラルネットワークでも重要な役割を果たすものばかりです。逆に言えば、本章の内容によく慣れておけば**4章**以降の内容にもスムーズに馴染めるでしょう。

　ですから、**4章**以降の内容が良くわからないと感じたら本章の内容を再読してみてください。それにより理解が深まることもあると思います。

4章 合成関数の微分を用いて 多層ニューラルネットワークを 学習させよう

4-1 本章で学ぶ内容

3章では損失関数を重みベクトルwのi番目の成分w_iやバイアスbで微分することで、ニューロン1つを学習させることができました。機械学習の教師あり学習の枠組みを用いて、入力ベクトルx_sに対するニューロンの出力y_sがターゲットt_sに等しくなるよう、w_iやbを調整するのでした。

分類課題に適用した場合、ニューロン1つにできることは、超平面（2次元では直線）で二分割できるデータ（線形分離可能なデータ）を分類することでした。

それに対し、本章では複数のニューロンからなるニューラルネットワークを分類課題に適用します。本章で扱うのは、**隠れ層**（Hidden Layer）と呼ばれるニューロン集団を含む多層ニューラルネットワークという枠組みです。隠れ層は**中間層**とも呼ばれます。

隠れ層が2つ以上あるニューラルネットワークを**ディープニューラルネットワーク**（Deep Neural Network, DNN）と呼びますので、本章の内容が直接ディープラーニングにつながると考えていただいて構いません。

多層ニューラルネットワークの学習には、**誤差逆伝播法**
（バックプロパゲーション、Backpropagation, BP）と呼ば
れる手法を用います。誤差逆伝播法は1980年代後半から
始まる第二次ニューラルネットワークブームの頃から広く
用いられるようになりました。現在のディープラーニング
でも使われています。

　本章で新たに登場する数学の知識を**表4-1**にまとめまし
た。主要な概念は**3章**までに登場しておりますので、本章
で新たに必要となる数学的知識は多くありません。なお、
「多変数関数」や「合成関数が多変数関数である場合の微
分」は高校で扱いませんが、本章の解説の中でその内容を
説明します。

表4-1　本章で用いる数学の知識と高校数学の対応

本章で用いる数学の知識	高校で取り扱われる科目	本章で登場する箇所
多変数関数	高校での取り扱いなし	**4-2**……193ページ
関数のパラメータ	数学Ⅰなど	**4-3**……198ページ
合成関数が多変数関数である場合の微分	高校での取り扱いなし	**4-4**……214ページ

　また、本章で新たに登場する文字を次ページの**表4-2**に
まとめます。複数のニューロンにそれぞれ文字を割り当て
る必要上、新しい文字が多くなっておりますのでご注意く
ださい。

　また、**3章**でも触れたように、これらの文字には添え字
が多くつけられ一見複雑になっています。解説用の図（後
に登場する184ページの**図4-1**や190ページの**図4-2**な

ど）と合わせることで理解が容易となるでしょう。

表4-2　本章で新たに登場する文字

i	入力ベクトル（入力層）の何番目の成分かを表す添え字
j	隠れ層の何番目のニューロンかを表す添え字
k, m	出力層の何番目のニューロンかを表す添え字（多クラスの分類の場合）
n	入力ベクトルの次元（入力層の成分の数）
n_h	隠れ層のニューロンの個数
n_o	出力層のニューロンの個数（多クラスの分類の場合）
$u_{sj}^{(h)}$	s番目の入力ベクトル$\boldsymbol{x}_s$に対する、隠れ層のj番目のニューロンの活性
$y_{sj}^{(h)}$	s番目の入力ベクトル$\boldsymbol{x}_s$に対する、隠れ層のj番目のニューロンの出力
$b_j^{(h)}$	隠れ層のj番目のニューロンのバイアス
$w_{ji}^{(h)}$	入力層のi番目のニューロンから隠れ層のj番目のニューロンへのシナプスの重み
$\delta_{sj}^{(h)}$	s番目の入力ベクトル$\boldsymbol{x}_s$に対する、隠れ層のj番目のニューロンの誤差
u_{sk}	s番目の入力ベクトル$\boldsymbol{x}_s$に対する、出力層のk番目のニューロンの活性（多クラスの分類の場合）
y_{sk}	s番目の入力ベクトル$\boldsymbol{x}_s$に対する、出力層のk番目のニューロンの出力（多クラスの分類の場合）
b_k	出力層のk番目のニューロンのバイアス（多クラスの分類の場合）
w_{kj}	隠れ層のj番目のニューロンから出力層のk番目のニューロンへのシナプスの重み（多クラスの分類の場合）
t_{sk}	s番目の入力ベクトル$\boldsymbol{x}_s$に対する、出力層のk番目のニューロンのターゲット（多クラスの分類の場合）
δ_s	s番目の入力ベクトル$\boldsymbol{x}_s$に対する、出力層のニューロンの誤差
δ_{sk}	s番目の入力ベクトル$\boldsymbol{x}_s$に対する、出力層のk番目のニューロンの誤差（多クラスの分類の場合）

4-2 多層ニューラルネットワークの枠組み

●隠れ層の追加

3章では1つのニューロンに機械学習の分類課題を適用しました。本章では、184ページの図4-1のように「隠れ層」と呼ばれるニューロンの集団を加えたニューラルネットワークに同じ分類課題を適用します。隠れ層に対して、入力そのものに相当する層を「入力層」、結果を出力するニューロンが存在する層を「出力層」と呼びます。

隠れ層を追加することで、ニューロン1つでは実現できなかった分類課題（99ページの図3-6のXORなど）を取り扱えるようになります。

●ニューラルネットワークの名称

図4-1には3つの層がありますから、このニューラルネットワークを**3層ニューラルネットワーク**と呼ぶことがあります。

ただし、3つの層のうちニューロンが存在するのは隠れ層と出力層の2層だけで、入力層には入力の値しか存在しません。そのため、図4-1を**2層ニューラルネットワーク**と呼ぶ流儀もあります。

混乱を避けるため、本書では図4-1のように隠れ層が1つ以上あるニューラルネットワークを多層ニューラルネットワークと呼ぶことにします。

本章で目指すことは、多層ニューラルネットワークが行う分類の方法を理解すること、そして多層ニューラルネッ

トワークで学習を行う方法を理解すること、の２つです。

● **多層ニューラルネットワークの計算の流れ**

　次ページの**図4-1**にはたくさんの文字が記されており、それらの解説をしなければなりません。しかしその前に、多層ニューラルネットワークが行う計算の流れを先に把握しておきましょう。

　まず、**図4-1**の左側から入力が加わります。**3章**と同じく、s番目の入力ベクトル$\boldsymbol{x}_s$のn個の成分が入力となります。その入力は隠れ層に複数あるニューロンすべてにそれぞれ与えられます。

　隠れ層のニューロンは**2章**、**3章**と同じく重み・バイアス・活性化関数を用いて出力を計算します。それが**図4-1**で$y_{s1}^{(h)}, y_{s2}^{(h)}, \cdots, y_{sn_h}^{(h)}$と記されているものです。このとき、隠れ層のニューロンに可能なことは**3章**と同じくデータを超平面で分離することです。

　隠れ層のニューロンの出力が出力層のニューロンへの入力となり、このニューロンが**3章**と同様に出力y_sを計算します。これをターゲットt_sと一致させることが目的です。

　これが**図4-1**の多層ニューラルネットワークが行う計算の流れです。ここからは、今言葉で説明した内容を数式で表現します。まず**図4-1**のうち**3章**のニューロン１つと変わらない部分、すなわち入力層と出力層から解説しましょう。

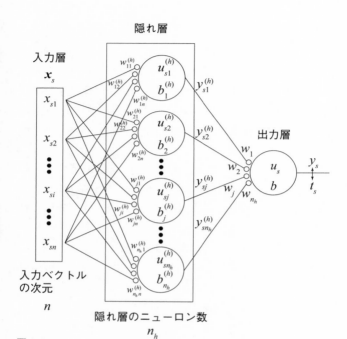

隠れ層

入力層
$\boldsymbol{x}_s$

$w_{11}^{(h)}$
$w_{12}^{(h)}$
$w_{1n}^{(h)}$
$w_{21}^{(h)}$
$w_{22}^{(h)}$
$w_{2n}^{(h)}$
$w_{j1}^{(h)}$
$w_{ji}^{(h)}$
$w_{jn}^{(h)}$
$w_{n_h 1}^{(h)}$
$w_{n_h n}^{(h)}$

$u_{s1}^{(h)}$
$b_1^{(h)}$

$u_{s2}^{(h)}$
$b_2^{(h)}$

$u_{sj}^{(h)}$
$b_j^{(h)}$

$u_{sn_h}^{(h)}$
$b_{n_h}^{(h)}$

x_{s1}
x_{s2}
x_{si}
x_{sn}

$y_{s1}^{(h)}$
$y_{s2}^{(h)}$
$y_{sj}^{(h)}$
$y_{sn_h}^{(h)}$

出力層

w_1
w_2
w_j
w_{n_h}

u_s
b

y_s
t_s

入力ベクトル
の次元
n

隠れ層のニューロン数
n_h

図4-1
ニューロン1つに隠れ層を追加した多層ニューラルネットワーク

●入力層と出力層の特徴

まず入力は**3章**で取り扱ったものと全く同じです。すなわち、N個のデータのうちs番目の入力ベクトルが$\boldsymbol{x}_s$であり、その次元はn、その成分は$(x_{s1}, x_{s2}, \cdots, x_{sn})$です。

出力層のニューロンについても多くの部分が**3章**のニューロンと変わりません。すなわち、$\boldsymbol{x}_s$に対する活性がu_s、出力がy_s、バイアスがbです。

　ただし、出力層のニューロンへの入力とそれに対応する重みベクトルwが**3章**から変更を受けています。まず、出力層のニューロンへの入力は隠れ層に存在するn_h個のニューロンの出力となっており、前ページの**図4-1**ではそれぞれ$y_{s1}^{(h)}, y_{s2}^{(h)}, \cdots, y_{sn_h}^{(h)}$と記されています。

　ここで、「n_h」や「$y_{s1}^{(h)}$」に含まれる添え字の「h」はHidden Layer（隠れ層）の頭文字です。上付きの添え字をカッコつきの「(h)」としたのは、べき乗の数との混同を避けるためです。

　それに対応し、重みベクトルwの次元がn_hとなり、成分も$(w_1, w_2, \cdots, w_{n_h})$と個数が$n_h$に変更されているのが注意すべき点です。

● **隠れ層の特徴**

　入力層と出力層の解説が終わりましたので、隠れ層のニューロンについて紹介しましょう。x_sに対する隠れ層のj番目のニューロンの活性は$u_{sj}^{(h)}$であり、バイアスは$b_j^{(h)}$です。jは$j = 1, 2, \cdots, n_h$の範囲の整数値をとります。

　隠れ層のニューロンに接続されるシナプスの重みは**3章**までのものに比べて少し複雑です。図からも読み取れるように、入力層から隠れ層のニューロンへのシナプスはたくさんあります。n個の成分をもつ入力が、隠れ層のn_h個のニューロンへそれぞれ入力を与えますので、隠れ層のシナプスの個数はその積の$n\,n_h$個となります。

　それぞれのシナプスの重みを言葉で表すと、「入力のi番目の成分から隠れ層のj番目のニューロンへのシナプス

の重みは$w_{ji}^{(h)}$」となります。やはりこれも図中で表現され
ています。

重み$w_{ji}^{(h)}$のうち、「ji」の部分は「隠れ層のニューロンの
番号、入力の成分の番号」の順で並んでいますので注意し
てください。入力層から隠れ層へとたどるには、右のiか
ら左のjに向かって数字を読む必要があるということで
す。本書ではこの順番で添え字を記述しますが、書籍によ
っては逆に記されている場合もありますので、読む際は注
意する必要があります。

●**隠れ層と出力層のニューロンが行う計算**

以上で184ページの図4-1に登場するすべての文字の解
説が終わりました。それらがニューラルネットワークの行
う計算においてどのように用いられているかを解説しまし
ょう。と言っても、**2章**で解説した内容とほとんど同じで
す。

まず、隠れ層のj番目のニューロン（$j=1, 2, \cdots, n_h$）の出
力$y_{sj}^{(h)}$は、入力ベクトル$\boldsymbol{x}_s=(x_{s1}, x_{s2}, \cdots, x_{sn})$に対して下記のよ
うに計算されます。

$$u_{sj}^{(h)} = \sum_{i=1}^{n} w_{ji}^{(h)} x_{si} + b_j^{(h)} \qquad \cdots (4\text{-}1)$$

$$y_{sj}^{(h)} = f\left(u_{sj}^{(h)}\right) \qquad \cdots (4\text{-}2)$$

（**4-1**）**式**で重みと入力の線形和にバイアスを加えること

で活性を計算し、前ページの（**4-2**）**式**で活性を活性化関数に入力することで出力を得る、ということで計算自体は**2章**で解説したものと変わりません。**3章**で注意したように、添え字が多くて複雑に見えるだけです。

　なお、隠れ層においては（**4-2**）**式**の活性化関数 $y = f(u)$ として46ページの**図2-5**(D)のReLUを用います。その理由は隠れ層の学習を学ぶ際に解説しますが、一言で述べれば「ReLUを用いることで隠れ層の重みとバイアスの学習が効率的に進むから」となります。

　出力層のニューロンの行う計算も同様で次式のようになります。

$$u_s = \sum_{j=1}^{n_h} w_j y_{sj}^{(h)} + b \qquad \cdots (4\text{-}3)$$

$$y_s = f(u_s) \qquad \cdots (4\text{-}4)$$

　出力層の活性化関数は**2章**、**3章**と同様に**図2-5**(B)のロジスティック関数です。すると出力 y_s は0から1の間の実数をとるのですから、184ページの**図4-1**の多層ニューラルネットワークを99ページの**図3-6**のXORのような論理演算に適用できるのでしたね。

●添え字の用途を固定する効果

　ところで、ここまでの文字の使い方で「入力層の入力の成分の添え字 i」、「隠れ層の何番目のニューロンかを表す添え字 j」、のように添え字に意味をもたせて区別して用い

ていることに気づいたでしょうか。これは、**3章**で導入した「何番目の入力ベクトルかを表す添え字s」も同様です。このように、添え字を使う際にその用途を固定することで、文字や数式が何を表したものかをわかりやすくする効果を狙っています。

添え字が多い数式に最初は馴染みにくいかもしれませんが、添え字も含めてその意味を考えながら見るようにすると理解が容易になるかもしれません。

●出力層のニューロンの数を増やす

184ページの図4-1に示した出力層のニューロンが1つのニューラルネットワークを分類課題に適用する場合、分類先のクラス（グループ）は種類が2つ（0か1か）です。

しかし現実的な問題では、クラス数が多数の場合すなわち多クラスの場合がほとんどです。たとえば、**3章**でも取り扱った手書き数字の分類がそうです。**3章**ではこの課題を2クラスの分類として取り扱いましたが、本来はこの課題は0から9の10種類の数字を区別する10クラスの分類です。そのような多クラスの分類に対して適用できるのが、190ページの図4-2のように出力層のニューロン数を多数にしたニューラルネットワークです。図では出力層のニューロン数をn_oとしています。「o」はOutput Layer（出力層）の頭文字です。

図に記されている通り、出力層のk番目のニューロンの変数には、活性u_{sk}、出力y_{sk}、バイアスb_kがあります。ターゲットはt_{sk}であり、出力層のニューロン一つ一つに

異なるターゲット（目標値）があることに注意しましょう。

　隠れ層のj番目のニューロンから出力層のk番目のニューロンへのシナプスの重みはw_{kj}であり、この添え字のルールは隠れ層のシナプスの重みの添え字と同じです。

　これらの文字に対して、活性u_{sk}の計算はこれまでのニューロンと変わりません。すなわち、次式で計算されます。

$$u_{sk} = \sum_{j=1}^{n_h} w_{kj} y_{sj}^{(h)} + b_k \qquad \cdots (4\text{-}5)$$

　問題は、出力層のk番目のニューロンの出力y_{sk}をどのように定めるかです。

●出力層にある複数のニューロンをどう使うか

　出力層のk番目のニューロンの出力y_{sk}の計算方法を解説するまえに、次ページの図4-2の出力層のニューロンにそもそもどのような役割を担わせるべきかを考えてみましょう。

　多クラスの分類における出力層のニューロンの役割を解説したのが191ページの図4-3です。10クラスの分類である手書き数字の分類に対して出力層のニューロンにどのような意味をもたせるかが示されています。

　まず、ニューロンの個数をクラス数と同じく10とします。すなわち、Mクラスの分類の場合、出力層のニューロン数を$n_o = M$とするということです。

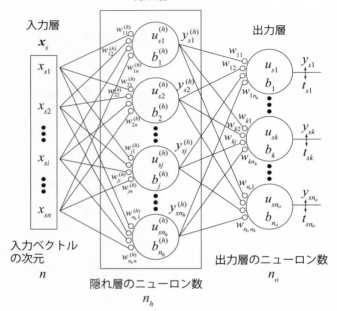

隠れ層

入力層

出力層

隠れ層のニューロン数 n_h

入力ベクトルの次元 n

出力層のニューロン数 n_o

図4-2　出力層のニューロン数を増やし、多クラスの分類を可能にした多層ニューラルネットワーク

　入力ベクトル $\boldsymbol{x}_s$ が数字 0, 1, 2,…, 9 のどれかの場合にニューロンの出力すべき値がターゲット t_{sk} の値として示されています。これを言葉で解説しましょう。

　まず、出力層のニューロンそれぞれに、担当となるクラスを割り当てます。すなわち、1番目のニューロンに数字0を、2番目のニューロンに数字1を、というように順番に数字を（クラスを）割り当て、最後の10番目のニュー

ロンには数字9を割り当てます。ここで、何番目のニューロンかを表す数字と、実際に描かれた数字が1つずつずれていますがそれは問題ありません。複数のクラスそれぞれに1つずつニューロンが割り当てられていれば良いのです。

　そして、それぞれのニューロンは割り当てられたクラスに属する入力が与えられたときのみ1を出力し、それ以外は0を出力するものとします。その数字が図4-3中のターゲット t_{sk} として示されています。

　以上のことに注意すると、ある入力が与えられたとき、10個のニューロンのうち1を出力すべきものは1つだけで、残り9個のニューロンは0を出力すべきであることがわかります。

　これが多クラスの分類における出力層のニューロンの意

手書き数字のターゲットを出力層（ニューロン数10）に表示

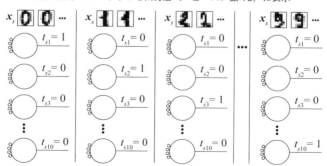

図4-3　多クラスの分類における出力層のニューロンの意味。ニューロンにはそれぞれ担当するクラスがあり、ある入力に対してどれか一つのニューロンしか1を出力しない

味です。

●多クラスの分類には活性化関数として
ソフトマックス関数を用いる

　そのようなニューロンを実現するためには、出力層のニューロンの活性化関数としてこれまで用いてきたロジスティック関数を使うことはできません。なぜなら、ロジスティック関数を使うと出力層の中で1を出力するニューロンの個数を1個に固定できないからです。

　そこで、多クラスの分類では出力層のニューロンの活性化関数として**ソフトマックス関数**という特殊な関数を用います。ソフトマックス関数は46ページの**図2-5**を解説する際に「ソフトマックス関数はグラフとして表示できない」と紹介しました。そのため、ここではソフトマックス関数をグラフではなく式と言葉で説明します。

　ソフトマックス関数では、出力層の k 番目のニューロンの出力 y_{sk} を次式のように計算します。exp は49ページの**図2-6**(A)で解説した指数関数です。

$$y_{sk} = \frac{\exp(u_{sk})}{\displaystyle\sum_{m=1}^{n_o} \exp(u_{sm})} \qquad \cdots (4\text{-}6)$$

　(4-6) 式を見て、意味を直ちに理解できる方は多くはないのではないでしょうか。このソフトマックス関数の意味の理解を当面の目標としましょう。

● **ソフトマックス関数の変数**

　前ページの（**4-6**）**式**の特徴の1つ目は、出力層のk番目のニューロンの出力y_{sk}を計算するために、出力層の1番目からn_o番目のすべてのニューロンの活性u_{sm}が使われていることです。それは、活性u_{sm}のmを1からn_oまで変化させたときの和が（**4-6**）**式**で使われていることから明らかです。この添え字mの中に今考えている対象であるk番目のニューロンも含まれていることに注意しましょう。

　46ページの図2-5で解説した活性化関数は、y_{sk}を計算するためにu_{sk}のみが用いられていました。すなわち、活性化関数が$y_{sk} = f(u_{sk})$と書け、さらにそれを図2-5のようにグラフ表示できたわけです。

　一方、ソフトマックス関数ではy_{sk}はu_{sm} $(m=1, 2,\cdots, n_o)$に依存するわけですから、$y_{sk} = f(u_{s1}, u_{s2}, \cdots, u_{sk}, \cdots, u_{sn_o})$のように$n_o$個の変数に依存する関数であることがわかります。このような関数を**多変数関数**といいます。このグラフを描こうとすると、n_o個の変数にy_{sk}の分を加えて$n_o + 1$次元空間が必要になります。これがソフトマックス関数をグラフに描くことができない理由です。

● **和でそれぞれの要素を割ることの意味**

　（**4-6**）**式**のソフトマックス関数で注意すべき点は、「出力層のすべてのニューロンの活性u_{sm}に指数関数（exp）が適用されていること」と「$\exp(u_{sm})$のすべての和を計算し、それで$\exp(u_{sk})$を割っていること」の2点です。

　その意味を次ページの図4-4で解説しましょう。

まず、理解が容易な「和を計算し、それで割る」ということの意味から解説しましょう。図4-4(A)には、例として5個のニューロンの活性が1, 2, 1, 0, 6である場合が示されています。暗算でもわかるように、その合計は10です。その合計値で元の活性1, 2, 1, 0, 6を割ると0.1, 0.2, 0.1, 0.0, 0.6となります。割った後の値を合計すると、図に示したように1になります。すなわち、「和を計算し、それでそれぞれの要素を割る」と要素の合計が1になるのです。

　和が1になるということは、それぞれの数字を、入力があるクラスに属する確率と解釈できるということです。これをもう少し詳しく述べましょう。ある入力ベクトルx_sを入力したときの出力層の5つのニューロンの出力が0.1, 0.2, 0.1, 0.0, 0.6であったとします。このとき、それぞれの

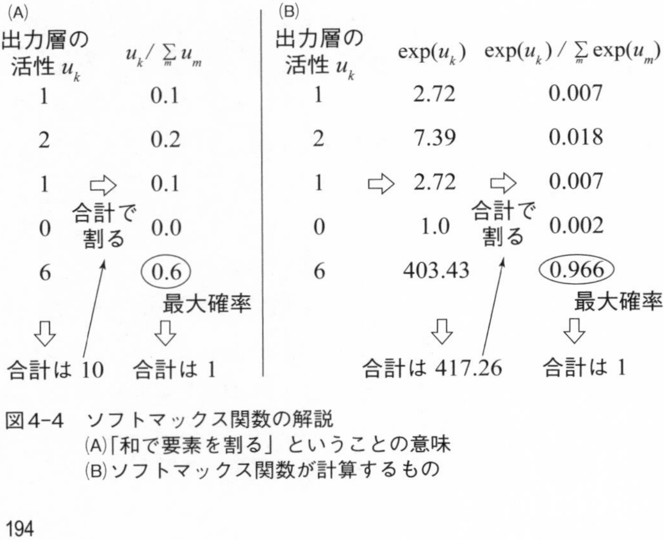

(A) 出力層の活性 u_k	$u_k / \sum_m u_m$
1	0.1
2	0.2
1	0.1
0	0.0
6	(0.6) 最大確率

合計で割る

⇨

合計は 10　合計は 1

(B) 出力層の活性 u_k	$\exp(u_k)$	$\exp(u_k) / \sum_m \exp(u_m)$
1	2.72	0.007
2	7.39	0.018
1	2.72	0.007
0	1.0	0.002
6	403.43	(0.966) 最大確率

合計で割る

⇨

合計は 417.26　合計は 1

図4-4　ソフトマックス関数の解説
　(A)「和で要素を割る」ということの意味
　(B)ソフトマックス関数が計算するもの

数値を「x_sがクラス1に属する確率が0.1」、「x_sがクラス2に属する確率が0.2」、…、「x_sがクラス5に属する確率が0.6」のように解釈します。すべての数値を足すと確率1となるのですから、x_sはクラス1からクラス5のどれかに必ず属する、というわけです。この例の場合、最も確率が大きいのは0.6ですから、「x_sはクラス5に属する」と解釈することになるでしょう。

　以上で出力層のニューロンの役割の解説にかなり近づきましたが、まだ指数関数（exp）を用いる理由がわかりません。以下で解説しましょう。

● ソフトマックス関数の意味

　前ページの図4-4(A)の解説を踏まえ、図4-4(B)でソフトマックス関数の意味を解説します。

　図4-4(A)と同じく5つの活性の例で解説します。それぞれの活性に対し指数関数を適用した数値が図4-4(B)中央に記されています。

　49ページの図2-6(A)に示されているように、指数関数はuの値が大きくなると急激に増大します。それを反映し、6に指数関数を適用した値は極端に大きな値（403.43）となっています。

　図4-4(B)中央の値を合計すると417.26になり、それで図4-4(B)中央の値を割ると図4-4(B)右の値となります。和でそれぞれの要素を割っていますので、図4-4(B)右の値の合計は1となり、これも確率と解釈できます。その場合、最大の確率は0.966ですから、入力の属するクラスは5と解

釈されます。

194ページの**図4-4**(B)が、ソフトマックス関数が実際に計算することです。

指数関数を適用してもしなくても、結局選ばれるクラスは5のまま変化しません。ではなぜ指数関数を適用するかというと、2つ理由があります。

1つ目は、指数関数を適用することにより、確率の大きなクラスと小さなクラスの差を大きくすることができることです。**図4-4**(A)では確率の大きい方から2つ値を抜き出すと0.6, 0.2だったのに対し、**図4-4**(B)では0.966, 0.018となっており、差が大きく開いていますね。それにより、191ページの**図4-3**のターゲットのように「ニューロン1つの出力だけ1でそれ以外は0」という状態を実現しやすくなります。

2つ目の理由は、指数関数を適用することは重みwとバイアスbの学習に都合が良いからです。このことは、**3章の表3-4**（110ページ）を解説する際、「（多クラスの分類に対してソフトマックス関数を用いると）ニューロンの学習にとって良い性質が現れるから」と表現しました。どう都合が良いかは**4-4**で多クラスの分類について学ぶ際に改めて解説します。

●隠れ層を増やすとディープニューラルネットワークとなる

以上で、多層ニューラルネットワークを多クラスの分類課題に適用する方法がわかりました。次に考えるべきことは、多層ニューラルネットワークをどのように学習させる

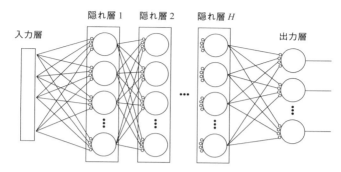

図4-5　隠れ層が2層以上ある多層ニューラルネットワークはディープニューラルネットワーク（DNN）と呼ばれる

かです。

　その解説の前に一点だけ注意を述べておきましょう。多層ニューラルネットワークの隠れ層の数は**図4-5**のようにどんどん増やすことができます。一般に、隠れ層が2つ以上ある多層ニューラルネットワークをディープニューラルネットワーク（DNN）と呼びます。ディープ（deep）という語があてられるのは、層の数が多いことを層が「深い」と形容するからです。

　隠れ層1つで何が可能になるかの解説もしていませんので、層を深くするとどのような効果があるかの解説はまだできませんが、ディープラーニングで用いられるニューラルネットワーク自体は**図4-5**ですでに登場したことは頭に留めてください。

4-3 多層ニューラルネットワークの学習 （2クラスの場合）

4-3では、多層ニューラルネットワークがどのように学習するかを学んでいきましょう。

ここから先は、**3章**での学習の解説と同様に数学の話が続きます。内容が難しいと感じた方や、結果を先に知りたい方は、この**4-3**と**4-4**を飛ばし、**4-5**の演習を先に体験しても構いません。その後、必要に応じて学習の解説に戻ってくると良いでしょう。

●ニューラルネットワークはパラメータを学習する

まず184ページの**図4-1**の2クラスの分類を行う多層ニューラルネットワークの解説を行います。このネットワークが変更するのは、出力層のニューロンの重み w_j ($j = 1, 2, \cdots, n_h$)とバイアスb、さらに隠れ層のニューロンの重み $w_{ji}^{(h)}$ ($i = 1, 2, \cdots, n$ および $j = 1, 2, \cdots, n_h$)とバイアス $b_j^{(h)}$ です。

3章で解説したのは、出力層に相当するニューロン1つにおけるw_jとbの学習のみでした。それに加え、隠れ層のニューロンにおける $w_{ji}^{(h)}$ と $b_j^{(h)}$ の学習が必要になるのです。

これら学習で調整すべき変数のことを以後「**パラメータ**」と呼ぶことにします。ニューラルネットワークにおける「パラメータ」は、「その値を調整することで、関数の性質を変えることができるもの」という意味で用います。

高校で学ぶ数学で言えば、1次関数 $y = ax + b$における

aとb、2次関数$y = ax^2 + bx + c$におけるa、b、cがここでの「パラメータ」の用法に近いと言えるでしょう。パラメータの値を変更することで、1次関数だったらさまざまな直線が現れ、2次関数だったらさまざまな形状の放物線が現れますね。

184ページの図4-1のニューラルネットワークは入力x_sに対してy_sを出力するのですから、関数$y_s = g(x_s)$とみなすことができます。この関数にw_j、b、$w_{ji}^{(h)}$、$b_j^{(h)}$のパラメータが存在し、これらを調整することで関数$y_s = g(x_s)$の形状や性質を変化させることができるというわけです。それは**2章**や**3章**でも体験してきました。それを多層ニューラルネットワークで行うのがここからの趣旨です。

なお、図4-1のネットワークにおけるパラメータは、出力層で$n_h + 1$個、隠れ層のn_h個のニューロンにそれぞれ$n + 1$個あります。ですから、合計$n_h + 1 + n_h(n + 1)$個のパラメータがネットワークに存在することになります。

●出力層のパラメータの学習はニューロン1つの場合と同じ

図4-1のネットワークの図から、以後の解説を理解するために必要な部分を抜き出して補足説明を加えたのが次ページの図4-6です。以後の説明において、文字が出てきたらそれが図4-6のどの部分に該当するかを確かめながら読むと理解が深まるでしょう。

出力層のパラメータの学習は**3章**で用いた（3-13）式、（3-14）式、（3-24）式、（3-25）式をそのまま用います。復習のためw_jについてのみ再掲すると、次式のよ

うになります。

$$\frac{\partial L}{\partial w_j} = \frac{1}{N}\sum_{s=1}^{N}(y_s - t_s)y_{sj}^{(h)} \qquad \cdots (4\text{-}7)$$

$$w'_j = w_j - \eta\frac{\partial L}{\partial w_j} \qquad \cdots (4\text{-}8)$$

　なお、添え字は**3章**では入力層を表すiを用いていましたが、ここでは隠れ層を表すjに変更していますのでご注意ください。さらに、**(4-7) 式**ではニューロンへの入力をx_{si}から$y_{sj}^{(h)}$に変更していますので合わせてご注意ください。それは、**図4-6**に示されているように、出力層のニューロンへ加わる入力がx_{si}から$y_{sj}^{(h)}$に変わっているからです。

　(4-7) 式は損失関数Lのw_jでの偏微分であり、w_jの変化がLをどう変化させるかを表すのでした。言い換えると、w_jを変化させることで出力層のニューロンの出力y_sを変化

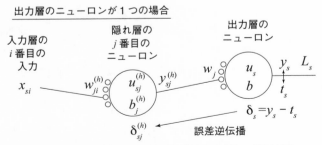

図4-6　隠れ層のパラメータの学習を理解するために必要な図

させるとき、それがターゲット t_s に近づくのか遠ざかるのかを知ることができるわけです。その情報に基づき、前ページの **(4-8) 式** を用いて w_j を変化させ、L を減少させるのでした。

また、**(4-7) 式** と **(4-8) 式** の w_j を b に置き換え、$y_{sj}^{(h)}$ を1とするとそれが b の変更のルールとなるのでした。

● 誤差の導入

ここで、以後の解説に必要な新しい文字を導入します。前ページの **(4-7) 式** に $y_s - t_s$ という項がありますが、これは出力とターゲットの差であり出力の誤差と呼ばれるのでした。これを以後 δ_s と書くことにしましょう。**3章** の演習用Excelファイルのシートでも δ という文字が使われていましたね。

誤差 δ_s は、137ページの **(3-23) 式** で表されるように入力ベクトル $\boldsymbol{x}_s$ に対する損失 L_s を活性 u_s で偏微分したものでした。これを δ_s も含めて改めて書き直すと次式のようになります。

$$\delta_s = \frac{\partial L_s}{\partial u_s} = \frac{\partial L_s}{\partial y_s}\frac{\partial y_s}{\partial u_s} = y_s - t_s \qquad \cdots(4\text{-}9)$$

なお、$\boldsymbol{x}_s$ に対する損失 L_s は、次式により損失関数 L と次式で結びついていることも思い出しておきましょう。これは **(3-17) 式** を再掲したものです。

$$L = \frac{1}{N} \sum_{s=1}^{N} L_s \qquad \cdots (4\text{-}10)$$

前ページの（4-9）**式**を用いると、（4-7）**式**は次のように書き直すことができます。

$$\frac{\partial L}{\partial w_j} = \frac{1}{N} \sum_{s=1}^{N} \delta_s y_{sj}^{(h)} \qquad \cdots (4\text{-}11)$$

この誤差という量は、隠れ層の学習を理解するうえで重要となります。

● 隠れ層のパラメータの学習

　出力層における学習の復習により、隠れ層のパラメータ $w_{ji}^{(h)}$ と $b_j^{(h)}$ の学習に必要なのは、それらによる損失関数の偏微分 $\partial L/\partial w_{ji}^{(h)}$ および $\partial L/\partial b_j^{(h)}$ であることがわかると思います。すなわち、$w_{ji}^{(h)}$ と $b_j^{(h)}$ の変化が損失関数 L の値をどのように変化させるかを知る必要があるということです。

　$w_{ji}^{(h)}$ を例に200ページの**図4-6**を使って解説します。図における入力からの信号の流れに着目すると、$w_{ji}^{(h)}$ を変化させることで活性 $u_{sj}^{(h)}$ が変化し、それが出力 $y_{sj}^{(h)}$ を変化させ、それが出力層のニューロンの活性 u_s を変化させ、それが y_s を変化させ、その結果 L_s および L が変化する、という変数の変化の連鎖をたどることができます。その変化の連鎖に沿った微分は合成関数の微分で実現できるのでした。

　出力層のニューロンの場合は、この連鎖は $w_j \to u_s \to y_s \to L$ のようにニューロン1つ分の計算で済みま

したが、出力層から層を1つさかのぼった隠れ層ではこれが$w_{ji}^{(h)} \to u_{sj}^{(h)} \to y_{sj}^{(h)} \to u_s \to y_s \to L$のようにニューロン2つ分の長さになります。これは合成関数の微分の計算が複雑になることを意味します。

今考えているのは隠れ層1つだけのネットワークなのでニューロン2つ分で話は済みますが、隠れ層が複数あるDNNでは、出力層から遠ざかるほど変化の連鎖の数が増え、合成関数の微分の計算がますます大変になります。

そのため、計算が複雑にならないようなんらかの工夫が必要になります。そのために用いられるのが、先ほど導入した誤差です。

● $\partial L / \partial w_{ji}^{(h)}$ の計算

誤差の存在を頭にとどめつつ、先ほどの解説をもとに$\partial L / \partial w_{ji}^{(h)}$を計算してみましょう。**3章**と同様に、$\partial L_s / \partial w_{ji}^{(h)}$の計算から始めましょう。$w_{ji}^{(h)} \to u_{sj}^{(h)}$の部分に関して合成関数の微分を行うと次式のようになります。

$$\frac{\partial L_s}{\partial w_{ji}^{(h)}} = \frac{\partial L_s}{\partial u_{sj}^{(h)}} \frac{\partial u_{sj}^{(h)}}{\partial w_{ji}^{(h)}} \qquad \cdots(4\text{-}12)$$

ここで、**(4-12)式**の第1項の$\partial L / \partial u_{sj}^{(h)}$を隠れ層の$j$番目のニューロンに$s$番目の入力$x_s$が加わったときの隠れ層の誤差と定義し、$\delta_{sj}^{(h)}$と記すことにします。さらに、**(4-12)式**の第2項の$\partial u_{sj}^{(h)} / \partial w_{ji}^{(h)}$は186ページの**(4-1)式**から$x_{si}$と計算されるため、**(4-12)式**は次式で置き換えられます。

$$\frac{\partial L_s}{\partial w_{ji}^{(h)}} = \delta_{sj}^{(h)} x_{si} \qquad \cdots(4\text{-}13)$$

（4-13）**式**に202ページの（4-10）**式**を合わせると、

$$\frac{\partial L}{\partial w_{ji}^{(h)}} = \frac{1}{N} \sum_{s=1}^{N} \delta_{sj}^{(h)} x_{si} \qquad \cdots(4\text{-}14)$$

と計算されます。これは、出力層における重みでのLの偏微分である202ページの（4-11）**式**と類似していますね。この式と、200ページの（4-8）**式**のw_jを$w_{ji}^{(h)}$に置き換えた式

$$w_{ji}^{(h)\prime} = w_{ji}^{(h)} - \eta \frac{\partial L}{\partial w_{ji}^{(h)}} \qquad \cdots(4\text{-}15)$$

を使って$w_{ji}^{(h)}$を変更することができるわけです。

● 隠れ層における誤差の計算

ここで問題となるのは、新たに定義した隠れ層の誤差 $\delta_{sj}^{(h)}$ の計算方法がまだ明らかではないことです。その解説を続けましょう。

変数の変化の連鎖 $u_{sj}^{(h)} \rightarrow y_{sj}^{(h)} \rightarrow u_s$ の部分について合成関数の微分を用いると、次式のように計算されます。

$$\delta_{sj}^{(h)} = \frac{\partial L_s}{\partial u_{sj}^{(h)}} = \frac{\partial L_s}{\partial u_s} \frac{\partial u_s}{\partial y_{sj}^{(h)}} \frac{\partial y_{sj}^{(h)}}{\partial u_{sj}^{(h)}} \qquad \cdots(4\text{-}16)$$

（4-16）**式**に登場するさまざまな変数の意味を思い出す

ために図4-7が参考になるでしょう。図4-7は200ページの図4-6の一部を抜粋し、微分の注釈を追加したものです。

　図4-7と合わせて理解すると、前ページの**（4-16）式**の右辺第1項は出力層の誤差δ_sなのでした。

　（4-16）式の右辺第2項は187ページの**（4-3）式**よりw_jと計算されます。

　（4-16）式の右辺第3項は186ページの**（4-2）式**より、隠れ層の活性化関数$y_{sj}^{(h)}=f\!\left(u_{sj}^{(h)}\right)$の微分$f'\!\left(u_{sj}^{(h)}\right)$となります。

　整理すると、**（4-16）式**は下記のように書きなおすことができます。

$$\delta_{sj}^{(h)} = \delta_s w_j f'\!\left(u_{sj}^{(h)}\right) \qquad \cdots(4\text{-}17)$$

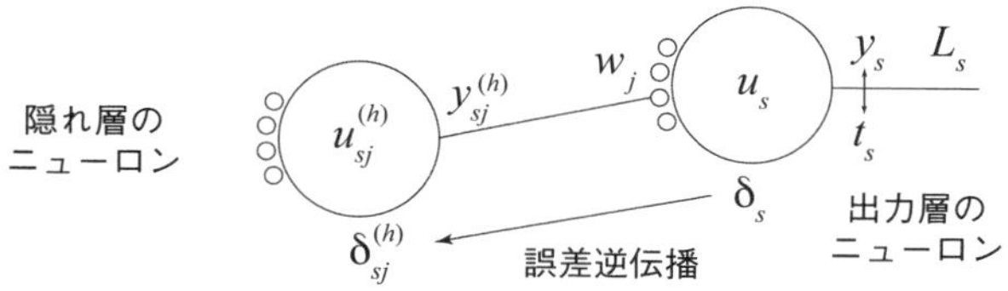

$$\delta_{sj}^{(h)} = \frac{\partial L_s}{\partial u_{sj}^{(h)}} = \frac{\partial L_s}{\partial u_s} \times \frac{\partial u_s}{\partial y_{sj}^{(h)}} \times \frac{\partial y_{sj}^{(h)}}{\partial u_{sj}^{(h)}}$$

u_sが変化したときのL_sの変化の割合　　×　　$y_{sj}^{(h)}$が変化したときのu_sの変化の割合　　×　　$u_{sj}^{(h)}$が変化したときの$y_{sj}^{(h)}$の変化の割合

$$\delta_s \qquad \times \qquad w_j \qquad \times \qquad f'\!\left(u_{sj}^{(h)}\right)$$

図4-7　隠れ層の誤差の計算を理解するための図

前ページの（4-17）式は、出力層の誤差δ_sを用いて隠れ層の誤差$\delta_{sj}^{(h)}$を計算する方法を示しています。200ページの図4-6および前ページの図4-7ではそれを出力層から隠れ層への左向きの矢印として表現しました。

　このように出力側から入力側に向かって誤差を逆に伝えていくことを誤差の逆伝播といい、これを用いた隠れ層のパラメータの学習方法を**誤差逆伝播法**といいます。

　この$\delta_{sj}^{(h)}$と204ページの（4-14）式、（4-15）式を用いて、Lを減少させるよう$w_{ji}^{(h)}$を変更することができます。

●隠れ層における誤差の意味

　さて、隠れ層の誤差$\delta_{sj}^{(h)}$を用いて$w_{ji}^{(h)}$を調整できることがわかりましたが、そもそも$\delta_{sj}^{(h)}$にはどのような意味があるのでしょうか。まず出力層の場合から考えてみましょう。

　出力層の誤差は$\delta_s = \partial L_s/\partial u_s = y_s - t_s$と書けるのでしたから、「活性$u_s$を変化させたときの$L_s$の変化の割合」を表し、0にすべき対象です。出力層のニューロンの重みw_jは活性u_sと187ページの（4-3）式により直接結びついていますから、w_jの変化によりu_sを変化させ、その結果δ_sを変化させることは容易です。このとき、δ_sは出力層のニューロンに属する量であることにも注意してください。

　一方、隠れ層のj番目のニューロンの重み$w_{ji}^{(h)}$は出力層のニューロンの誤差$\delta_s = y_s - t_s$とは間接的にしか結びついていません。そこで、このニューロンにおける誤差$\delta_{sj}^{(h)} = \partial L_s/\partial u_{sj}^{(h)}$をもとに$w_{ji}^{(h)}$を変更することにします。$w_{ji}^{(h)}$を

変更することでそのニューロンの活性 $u_{sj}^{(h)}$ を変化させ、それにより L_s を減少させるのです。

　隠れ層のニューロンの誤差 $\delta_{sj}^{(h)}$ は205ページの **(4-17)式** にもとづいて出力層の誤差 δ_s から逆伝播されて計算されます。この計算が適切でないと、ニューラルネットワークの隠れ層の学習はうまくいきません。

　つまり、多層ニューラルネットワークの隠れ層の学習が適切に進むためには、**(4-17)式** による誤差逆伝播が重要なカギを握るのです。

●隠れ層の活性化関数として何を選ぶべきか

　ここで $\delta_{sj}^{(h)}$ を計算する **(4-17)式** を眺めると、活性化関数の微分 $f'\left(u_{sj}^{(h)}\right)$ が出力層の誤差 δ_s に掛け算されていることが目を引きます。この活性化関数の微分は本書ではここで初めて登場したものです。

　活性化関数の微分を図示したのが次ページの**図4-8**です。まず、**図4-8(A)**はロジスティック関数、**図4-8(B)**はReLUです。これらの活性化関数に対する微分がそれぞれ**図4-8(C)**と**図4-8(D)**に表されています。ここで、ロジスティック関数は**2章**と**3章**でニューロンの出力として用いたもの、ReLUは**2章**で「隠れ層のニューロンの活性化関数として広く使われている」と紹介したものであることを思い出しておきましょう。

　まず、**図4-8(C)**のロジスティック関数の微分を見てみましょう。微分の値は、**図4-8(A)**のロジスティック関数の接線の傾きなのでした。**図4-8(A)**の接線の傾きが最も大きく

なるのは$u = 0$を満たす点であろうことはグラフから予想されます。それを反映し、**図4-8**(C)で最大値をとっているのは$u = 0$における点となっています。また、**図4-8**(A)のグラフでuが大きいときと小さいとき、傾きは0に近づいています。それを反映し、**図4-8**(C)ではuが大きいときと小さいときにグラフが0に近づいています。以上がロジスティック関数の微分の特徴です。

一方、ReLUの微分が**図4-8**(D)に表されています。**図4-8**(B)のReLUと見比べると、$u < 0$ならば活性化関数が常に値0をとるので接線の傾きは0、$u > 0$ならば活性化関数が常に傾き1の直線なので接線の傾きは1となっているこ

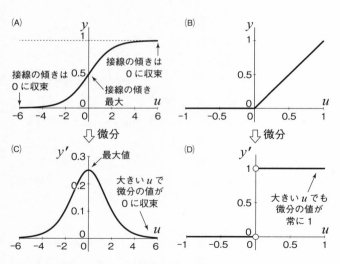

図4-8　(A)ロジスティック関数、(B)ReLU、(C)ロジスティック関数の微分、(D)ReLUの微分

とがわかります。$u = 0$では前ページの**図4-8**(B)が折れ線となっており接線を定義できませんから微分は存在しません。

　さて、**図4-8**(C)と**図4-8**(D)を見比べると、ロジスティック関数の微分はuが大きいときに0となることがわかります。これを誤差逆伝播を表す205ページの**(4-17)式**に当てはめて解釈すると、uが大きいときに活性化関数の微分が0（$f'(u)$が0）に近いということは、誤差$\delta_{sj}^{(h)}$も0に近い値をとるということを意味します。しかし、$w_{ji}^{(h)}$は$\delta_{sj}^{(h)}$を用いて学習を行うのですから、誤差$\delta_{sj}^{(h)}$が0に近いと学習が適切に進行しません。

　このように、誤差が0に近づき、ニューラルネットワークの学習が進まなくなる問題を**勾配消失問題**（Gradient Vanishing Problem）といいます。ディープラーニングのように隠れ層の層数が多くなるとこの問題は顕著となります。

　一方、ReLUを用いると、**図4-8**(D)からわかるようにuが正であれば$f'(u)$は常に1です。そのため、$f'(u)$が原因で$\delta_{sj}^{(h)}$が0に近い値をとるということがありません。そのため学習が適切に進むことが期待されます。それが、隠れ層のニューロンの活性化関数としてReLUを用いる理由の一つです。

　なお、$u = 0$におけるReLUの微分$f'(0)$の値は数学的には存在しませんが、コンピュータプログラムで実現するときには何らかの値を割り当てる必要があります。たとえば、$u = 0$に対して$f'(0) = 0$を割り当てます。

● ReLUによりニューロンの発火がスパースになる

なお、隠れ層にReLUを用いるもう一つの理由として、「隠れ層のニューロンの発火がスパースになるから」というものがありますので簡単に紹介しておきましょう。

208ページの図4-8(B)のReLUを用いると、負の活性となったニューロンは0を出力します。するとこのニューロンは出力層の判定結果には何も影響を及ぼしませんから、与えられた入力の分類結果に関与してないことになります。

一方、活性化関数として図4-8(A)のロジスティック関数を用いた場合、ニューロンの出力は厳密には0となることはありませんから、すべてのニューロンは出力層の判定結果に多かれ少なかれ影響を及ぼします。

一般に、情報処理の過程において発火しているニューロンの割合が小さいことを発火がスパースであると言います。スパースとは「薄い」を意味する英語です。

現実の脳も、発火しているニューロンの割合が少ないスパースなネットワークであると言われており、それは脳の活動のエネルギー消費を下げることに関連していると考えられています。

ReLUを用いると、このスパース性をもったネットワークが自然と学習により獲得されるというわけです。本書で紹介しているのは、工学的な応用を目指したニューラルネットワークであり、脳を再現することを目的としているわけではありません。しかし分類課題の性能を上げるためにReLUを用いることで、実際の脳に関連したスパース性が

現れるのは興味深いことです。

●隠れ層のニューロンのバイアス $b_j^{(h)}$ の学習

4-3 の最後に、バイアスの学習について紹介しておきましょう。**3章** と同様、バイアスの学習は重みの学習結果を用いて簡単に導けます。

204ページの（**4-14**）**式** と（**4-15**）**式** の重み $w_{ji}^{(h)}$ を $b_j^{(h)}$ に置き換え、入力 x_{si} を1と置き換えた以下の式を用います。

$$\frac{\partial L}{\partial b_j^{(h)}} = \frac{1}{N} \sum_{s=1}^{N} \delta_{sj}^{(h)} \qquad \cdots(4\text{-}18)$$

$$b_j^{(h)\prime} = b_j^{(h)} - \eta \frac{\partial L}{\partial b_j^{(h)}} \qquad \cdots(4\text{-}19)$$

4-4 多層ニューラルネットワークの学習（多クラスの場合）

4-4 では、190ページの**図4-2** のように出力層に複数のニューロンがある場合、すなわち多クラスの分類を行うネットワークのパラメータの学習について解説します。2クラスの分類の場合と異なるのは、出力層のニューロンの活性化関数がソフトマックス関数であることです。

● **ネットワークの構造**

190ページの図4-2から**4-4**での解説に必要な文字など
を抜き出したのが次ページの図4-9です。解説の都合上、
出力層の m 番目のニューロンも図中に記しております。着
目すべき点は、隠れ層のニューロンが出力層のすべてのニ
ューロンに接続されていることです（**図4-9**では2つのニ
ューロンへの接続のみ記しました）。

なお、**図4-2**のパラメータの個数は、出力層で $n_o(n_h+1)$
個、隠れ層に $n_h(n+1)$ 個ありますので合計
$n_o(n_h+1)+n_h(n+1)$ 個です。

● **損失関数としてクロスエントロピーを用いる**

図4-2または**図4-9**の多層ニューラルネットワークに
は、入力ベクトル x_s に対する出力およびターゲットがニ
ューロンごとにそれぞれ y_{sk}, t_{sk} ($k=1, 2, \cdots, n_o$) と複数あり
ます。そのため、損失関数の定義がこれまでと異なります。
損失関数 L を202ページの（**4-10**）**式**のように入力ベクト
ル x_s ごとの損失 L_s に分けたとき、このネットワークの L_s
は次式のクロスエントロピーとなります。

$$L_s = -\sum_{k=1}^{n_o} t_{sk} \log y_{sk} \qquad \cdots (4\text{-}20)$$

このクロスエントロピーは135ページの（**3-19**）**式**の2
クラスの場合の式とは違うように見えます。その理由は、
ニューロンの出力およびターゲットの意味が異なるからで
す。次ページの図4-10で解説します。

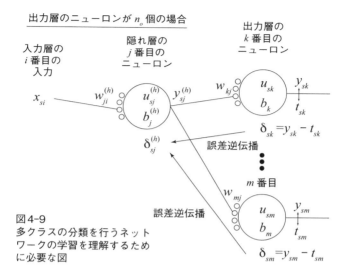

図4-9
多クラスの分類を行うネットワークの学習を理解するために必要な図

(A)　2クラスの場合

$$L_s = \underbrace{-t_s \log y_s}_{\substack{t_s = 1 \text{ の場合} \\ (\text{クラス1}) \text{ の項}}} \underbrace{-(1-t_s) \log (1-y_s)}_{\substack{t_s = 0 \text{ の場合} \\ (\text{クラス2}) \text{ の項}}}$$

(B)　多クラスの場合

$$L_s = \underbrace{-t_{s1} \log y_{s1}}_{\substack{t_{s1} = 1 \text{ の場合} \\ (\text{クラス1}) \text{ の項}}} \underbrace{-t_{s2} \log y_{s2}}_{\substack{t_{s2} = 1 \text{ の場合} \\ (\text{クラス2}) \text{ の項}}} \cdots \underbrace{-t_{sn_o} \log y_{sn_o}}_{\substack{t_{sn_o} = 1 \text{ の場合} \\ (\text{クラス } n_o) \text{ の項}}}$$

図4-10　多クラスの分類におけるクロスエントロピー

出力層のニューロンが１つで、活性化関数としてロジスティック関数を用いる場合、L_sは前ページの図4-10(A)のように$t_s = 1$と$t_s = 0$に対応する２つの項をもっていました。それらの項は図に示したように２つのクラスに対応します。**3章**の手書き数字の例で言えば「数字2」および「それ以外の数字」が２つのクラスに対応するのでした。

　一方、多クラスの場合は前ページの図4-10(B)のように$t_{sk} = 1$に対応する項のみがn_o個存在します。

　図4-10(A)と図4-10(B)のどちらもクラスの個数分の項がある点は同じなのですが、２クラスの場合は$t_s = 0$にもクラスを割り当てたのに対し、多クラスの場合は$t_{sk} = 1$に対してのみクラスを割り当てている点が異なります。そのことを解説したのが191ページの図4-3なのでした。

　202ページの（4-10）式と212ページの（4-20）式からなるLを多クラスの分類のための損失関数として用います。

● **出力層のパラメータの学習**

　出力層の重みw_{kj}の学習を実現するために、損失関数Lのw_{kj}での偏微分を計算しましょう。w_{kj}を変化させたとき、どの変数が変化するかの流れを記したのが次ページの図4-11上部です。

　このうち$w_{kj} \rightarrow u_{sk}$の部分について合成関数の微分を行うと次式のようになります。

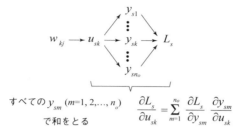

図4-11　多変数関数の場合の合成関数の微分

$$\frac{\partial L_s}{\partial w_{kj}} = \frac{\partial L_s}{\partial u_{sk}} \frac{\partial u_{sk}}{\partial w_{kj}} \qquad \cdots(4\text{-}21)$$

（4-21）式の第1項は損失の活性での微分ですから、こ
れまでと同様に誤差δ_{sk}と定義します。第2項は189ページ
の（4-5）式に注意すると$y_{sj}^{(h)}$となります。これらを（4-
21）式に代入すると

$$\frac{\partial L_s}{\partial w_{kj}} = \delta_{sk} y_{sj}^{(h)} \qquad \cdots(4\text{-}22)$$

と書けます。（4-22）式と202ページの（4-10）式を合わ
せると、

$$\frac{\partial L}{\partial w_{kj}} = \frac{1}{N} \sum_{s=1}^{N} \delta_{sk} y_{sj}^{(h)} \qquad \cdots(4\text{-}23)$$

が得られます。これは出力層のニューロン数が1つの場合
である202ページの（4-11）式と添え字以外は同じです

ね。(4-23) 式と

$$w'_{kj} = w_{kj} - \eta \frac{\partial L}{\partial w_{kj}} \qquad \cdots (4\text{-}24)$$

によりw_{kj}を学習させることができます。

　なお、バイアスb_kの学習はこれまで通り前ページの（4-23）式と（4-24）式においてw_{kj}をb_kに、$y_{sj}^{(h)}$を1に置き換えるだけですので省略します。

●**出力層の誤差の計算**

　なお、これまでと同様に誤差δ_{sk}の計算が必要です。前ページの図4-11の注釈に注意すると、δ_{sk}は次式のように計算することができます。

$$\delta_{sk} = \frac{\partial L_s}{\partial u_{sk}} = \sum_{m=1}^{n_o} \frac{\partial L_s}{\partial y_{sm}} \frac{\partial y_{sm}}{\partial u_{sk}} \qquad \cdots (4\text{-}25)$$

　（4-25）式はこれまでと異なり、合成関数の微分のチェーンルールに和記号が用いられています。本書ではここで初めて登場したものです。

　図4-11上部の注意を見るとわかりやすいでしょう。これまでと異なり、L_sが$y_{s1}, y_{s2}, \cdots y_{sn_o}$という$n_o$個の変数の関数となっています。これは212ページの（4-20）式により確認できます。このような関数を多変数関数というのでした。

　そしてさらに、今考えている活性u_{sk}はこれらすべての$y_{s1}, y_{s2}, \cdots y_{sn_o}$の計算において使われています。それは、ソフトマックス関数の定義である192ページの（4-6）式で

確認できます。以上のことが、215ページの図4-11上部
の矢印で表現されています。

　このような関係のもとで合成関数の微分を行う際、前
ページの（4-25）式のようにすべてのy_{sm}（m=1, 2,$\cdots$, n_o）で
の偏微分の積を合計する必要があります。これは高校では
取り扱われなかった内容です。

　（4-25）式の右辺の計算をさらに続けるのは少し大変で
すので、サポートサイトでダウンロードできる付録PDF
に記すとして、ここでは結果のみ記しましょう。

$$\delta_{sk} = y_{sk} - t_{sk} \qquad \cdots(4\text{-}26)$$

　すなわち、これまでの出力層のニューロンと同様に、ニ
ューロンの出力y_{sk}とターゲットt_{sk}の差が誤差となりま
す。これは、出力層のニューロンの活性化関数を192ペー
ジの（4-6）式のソフトマックス関数とし、損失関数を
212ページの（4-20）式のクロスエントロピーとしたこと
の効果です。活性化関数と損失関数のこの組み合わせが重
要であると**3章**の表3-4（110ページ）で解説しましたね。

　（4-26）式を215ページの（4-23）式、（4-24）式と合わ
せて出力層のパラメータの学習が行われます。

● **隠れ層のパラメータの学習**

　隠れ層のパラメータの学習は、出力層のニューロンが1
つの場合とほとんど変わりません。すなわち、204ページ
の（4-14）式と（4-15）式とで重み$w_{ji}^{(h)}$の学習を、211
ページの（4-18）式と（4-19）式とでバイアス$b_j^{(h)}$の学習

を行うことができます。

　ただし、204ページの（4-16）式の誤差$\delta_{sj}^{(h)}$の計算だけは異なります。213ページの図4-9に記されているように、隠れ層のj番目のニューロンの出力$y_{sj}^{(h)}$は、出力層のすべてのニューロンに接続され、その活性u_{sm}を変化させます。そのため215ページの図4-11で解説したのと同様に、合成関数の微分においてすべてのu_{sm} ($m=1,2,\cdots,n_o$) に対して和をとる必要があります。具体的には下記のように計算されます。

$$\delta_{sj}^{(h)}=\frac{\partial L_s}{\partial u_{sj}^{(h)}}=\sum_{m=1}^{n_o}\frac{\partial L_s}{\partial u_{sm}}\frac{\partial u_{sm}}{\partial y_{sj}^{(h)}}\frac{\partial y_{sj}^{(h)}}{\partial u_{sj}^{(h)}}\qquad\cdots(4\text{-}27)$$

　あとは、204ページの（4-16）式で行った計算と同様に（4-27）式は下記のように書きなおすことができます。

$$\delta_{sj}^{(h)}=\sum_{m=1}^{n_o}\delta_{sm}w_{mj}f'\left(u_{sj}^{(h)}\right)\qquad\cdots(4\text{-}28)$$

　この式は、出力層のニューロンの誤差δ_{sm}を使って隠れ層のニューロンの誤差$\delta_{sj}^{(h)}$を計算する式になっています。出力層のニューロンが1つの場合と異なり、出力層の複数のニューロンからの誤差δ_{sm}の影響を合計して$\delta_{sj}^{(h)}$を計算していることがわかります。そのことを、213ページの図4-9では複数の左向きの矢印として表現しました。

　（4-28）式と204ページの（4-14）式、（4-15）式、211ページの（4-18）式、（4-19）式を合わせて用いることで、隠れ層のニューロンのすべてのパラメータの学習を行

うことができます。

●DNNの隠れ層のパラメータの学習

　以上で本章の演習を行う準備が整いました。その前に、ディープラーニングを行うDNNの学習についてコメントしておきましょう。

　ここまで取り扱ってきた多層ニューラルネットワークにおいて、197ページの図4-5のように隠れ層が複数あるものをDNNと呼ぶのでした。この複数ある隠れ層の学習方法がわかればDNNを利用できることになります。

　複数ある隠れ層の学習には、先ほどの方法がそのまま使えます。前ページの（4-28）式において、$\delta_{sj}^{(h)}$と$u_{sj}^{(h)}$を入力層側の隠れ層の誤差と活性とみなし、δ_{sm}とw_{mj}を出力層側の隠れ層の誤差と活性とみなすのです。

　その考え方をすべての隠れ層に適用することで、出力層側から入力層側に向かって誤差が伝播していく状態を作り出すことができます。その後、すべての隠れ層で204ページの（4-14）式、（4-15）式、211ページの（4-18）式、（4-19）式に基づいてパラメータを学習すればDNNの学習を行えます。

　このように、多層ニューラルネットワークの学習の仕組みを理解すると、隠れ層を容易に増やすことができます。実際、1980年代から1990年代にかけての第二次ニューラルネットワークブームの頃から隠れ層が複数あるネットワークの学習は行われていました。しかし、当時は隠れ層が複数あるメリットをいかすことができませんでした。

その理由は、本章の演習および**5章**で触れることになるでしょう。

4-5 演習 3つのニューロンからなる多層ニューラルネットワークでXORを実現しよう

● 演習の目的とファイルの起動

4章の最初の演習として、4-5では3つのニューロンを用いるとXORの機能を実現できることを確認しましょう。まだ学習は用いず、**2章**の演習のように値をシートに自分で記入することによりXORを実現します。XORを実現する重みやバイアスの値が存在することを確認するためにこの演習を行います。

それでは、演習ファイル04-01-ml-nh2.xlsmを実行しましょう。Excelを用いている方は1Excelフォルダに含まれるファイルを、LibreOfficeを用いている方は2Libreフォルダに含まれるファイルを用いるのでした。また、Raspberry Pi用のLibreOfficeをお使いの方は3Libre-RasPiフォルダに格納されたファイルを用いてください。起動時に出るマクロについての警告に対しては**2-5**と同様に適切なボタンをクリックしてマクロを有効にしてください。そうしないと本書のExcelプログラムは実行できません。

なお、ファイル名の「ml」はMultilayer Neural Network（多層ニューラルネットワーク）のMultilayerを、「nh2」は$n_h = 2$、すなわち隠れ層のニューロン数が2

であることを表しています。

図4-12のようなシートが現れます。

●演習ファイルの意味と実行

このファイルは1ニューロンの場合の演習ファイル

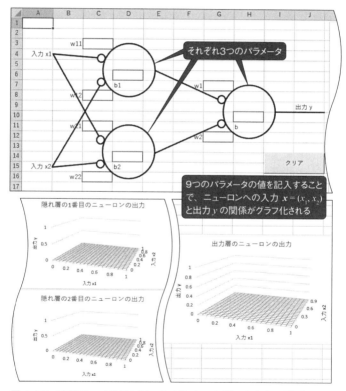

図4-12　演習ファイル04-01-ml-nh2.xlsm を開いたときの画面

02-01-1neuron.xlsm（79ページの**図2-21**）と同等の内容を、隠れ層のニューロン数2、出力層のニューロン数1の多層ニューラルネットワークに対して行うものです。

1つのニューロンには重み2つ、バイアス1つからなる3つのパラメータがあります。計9つのパラメータの値を自分で記入することでニューロンへの入力$x = (x_1, x_2)$と出力yの関係を3次元空間にグラフ化できます。なお、02-01-1neuron.xlsmとは異なり、出力0と出力1の境界線は記しません。ニューロン1つの作る境界が直線（超平面）であった**2章**とは異なり、多層ニューラルネットワークの作る境界は簡単な式では書けないためです。

9つのパラメータを試行錯誤で決めるのは大変ですので、方針を記しましょう。**2章**で学んだように、隠れ層のそれぞれのニューロンは線形分離可能なデータを分類できることに注意します。その知識を用いて、2つの隠れ層のニューロンのパラメータを、それぞれ異なる入力に対して1を出力するよう定めます。

● XORの実現（ケース1）

具体的には次ページの**図4-13**のように、隠れ層の1番目のニューロンは入力ベクトル$x = (1, 0)$に対してのみ出力1をとるように、2番目のニューロンは入力ベクトル$x = (0, 1)$に対してのみ出力1をとるようにします。そして、出力層は「隠れ層の1番目のニューロンと2番目のニューロンのどちらかの出力が1であれば1を出力する」という「OR」の機能をもたせれば、**図4-13**のようにXORの機能

を実現できます。これは99ページの**図3-6**(B)のグラフに対応しています。

　図4-13を実現するためのパラメータの値は(w11, w12, b1)=(2, −2, −1)、(w21, w22, b2)= (−2, 2, −1)、(w1, w2, b)=(10, 10, −5) です。シート上の赤い枠にそれぞれ1つずつ数値を書き込んでみましょう。その際、日本語入力はオフにしてください。**図4-13**と同じグラフが現れるはずです。

　図4-13と同じグラフが得られたら、パラメータの数値を少しずつ変更して試行錯誤してみても良いでしょう。その際に注意すべきことは、隠れ層のニューロンの活性化関数はReLU（208ページの**図4-8**(B)）であることです。ReLUはロジスティック関数（**図4-8**(A)）とは異なり、1より大きい値をとることができます。そのため、**2章**と同

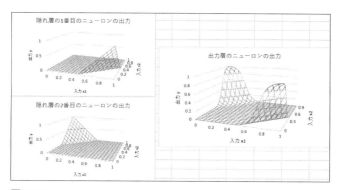

図4-13
パラメータの値として(w11, w12, b1)=(2, −2, −1)、(w21, w22, b2)= (−2, 2, −1)、(w1, w2, b)=(10, 10, −5) を与えたときのグラフ

じ感覚で数値を変更すると予想より大きな値をとるグラフとなってしまいます。ですから、**2章**で学んだことを活かすためには、前ページの**図4-13**のように出力が1を超えないようパラメータを調整することをお勧めします。

なお、**4-6**でこの3つのニューロンに学習をさせると、隠れ層のニューロンの出力の値が1を超えるかどうかにかかわらず学習は進みます。「1を超えないよう」というのはあくまで我々が理解しやすいように与える制約です。

● XORの実現（ケース2）

さて、XORを実現するニューロンの入力と出力の関係は、99ページの**図3-6(D)**のように中央部が山のような形状となる場合もありました。それを実現するパラメータの値 は、$(w_{11}, w_{12}, b_1)=(2, 2, -3)$、$(w_{21}, w_{22}, b_2)=(-2, -2, 1)$、$(w_1, w_2, b)=(-10, -10, 5)$です。シートに1つずつ値を記入すると、次ページの**図4-14**のようなグラフが現れます。こちらの場合も、隠れ層には1つの入力ベクトルxに対してのみ1を出力するようなニューロンを2つ用意しました。

出力層のニューロンは先ほどのORとは異なり、「2つの入力のORをとった後、上下反転する」という処理をすることで図4-14の出力を実現しています。具体的にはORを実現するパラメータ$(w_1, w_2, b)=(10, 10, -5)$の正負を入れ替え、$(w_1, w_2, b)=(-10, -10, 5)$とすることで図4-14のグラフを実現しています。

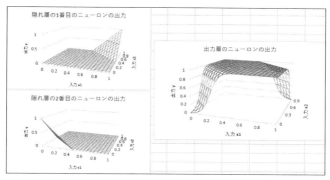

図4-14
パラメータの値として(w11, w12, b1)=(2, 2, –3)、(w21, w22, b2)=
(–2, –2, 1)、(w1, w2, b)=(–10, –10, 5) を与えたときのグラフ

● まとめ

　この演習では、３つのニューロンからなる多層ニューラ
ルネットワークでXORを実現できることがわかりまし
た。すなわち、多層ニューラルネットワークを学習させる
際に目指すべきパラメータの値が存在することがわかった
ということです。

　この状態が学習により実現されるかどうか、4-6の演習
で確認しましょう。

4-6　演習　３つのニューロンからなる多層ニューラルネットワークでXORを学習しよう

● 演習の目的とファイルの起動

　4-6の演習では、３つのニューロンからなる多層ニュー

225

ラルネットワークでXORを学習します。**4-5**の演習では手動で実現したXORを学習で実現できるでしょうか。

演習ファイル04-02-ml-nh2-xor.xlsmを実行しましょう。Excelを用いている方は1Excelフォルダに含まれるファイルを、LibreOfficeを用いている方は2Libreフォルダに含まれるファイルを用いるのでした。また、Raspberry Pi用のLibreOfficeをお使いの方は3Libre-RasPiフォルダに格納されたファイルを用いてください。起動時に出るマクロについての警告に対しては**2-5**と同様に適切なボタンをクリックしてマクロを有効にしてください。そうしないと本書のExcelプログラムは実行できません。

228ページの図**4-15**のようなシートが現れます。このファイルは**3章**の演習ファイル03-01-1n-learn.xlsmと同様に、「**ステップ毎の学習**」ボタンにより本章で学んだ学習のプロセスを1つずつ追うことができます。また、「**自動での学習**」ボタンにより100エポック分の学習を自動で行うことができます。

● **ステップ毎の学習**

まず、「**ステップ毎の学習**」ボタンを押すと何が起こるかを解説しましょう。**3章**の演習ファイル03-01-1n-learn.xlsmでは、このボタンを5回クリックすることで重みとバイアスの更新が行われ、それを1エポックと呼ぶのでした。今回のファイルでは、ボタン9回のクリックが1エポックとなります。9回のクリックで何が実行されるかの内訳を示したのが次ページの表**4-3**です。

表4-3　9回のクリックで実行される内容の内訳

ボタンを押す回数		実行内容	対応する式
1〜 8回目	奇数回目	入力ベクトルx_s(s=1, 2, 3, 4)を1つ与え、3つのニューロンの出力$y_{s1}^{(h)}$、$y_{s2}^{(h)}$、y_sを計算する。	(4-1)式〜(4-4)式
	偶数回目	奇数回目に与えた入力ベクトルx_sに対する誤差δ_s、$\delta_{s1}^{(h)}$、$\delta_{s2}^{(h)}$およびその累積値を計算する（誤差逆伝播の計算）。	誤差：(4-9)式、(4-17)式、 累積値：(4-11)式、(4-14)式
9回目		3つのニューロンの重みとバイアスの値を変更する。	(4-8)式、(4-15)式

　1回目から8回目までは、奇数回目と偶数回目の実行内容が交互に繰り返されます。

　奇数回目では、入力ベクトルの1つx_sがネットワークに与えられ、3つのニューロンの出力$y_{s1}^{(h)}$、$y_{s2}^{(h)}$、y_sが計算されます。詳しく言えば、s番目の入力x_sが与えられるのは、$2s-1$回目のボタンクリックにおいてです。この計算は入力から出力へ向かって行われます。

　1回目から8回目の偶数回目のボタンクリックでは、本章で詳しく解説した誤差の計算が行われます。この計算は出力から入力に向かって進みますから、誤差逆伝播と呼ばれるのでした。

　8回目のボタンクリックが終わると、202ページの（4-11）式および204ページの（4-14）式の誤差に基づく累積値の計算が終わります、そこで9回目のボタンをクリックすると、200ページの（4-8）式、204ページの（4-15）式に基づいて重みとバイアスの値が変更され、1エポック

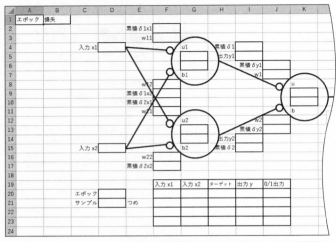

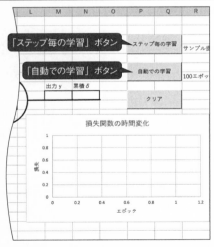

図4-15 演習ファイル04-02-ml-nh2-xor.xlsm を開いたときの画面

の学習が完了します。

「**ステップ毎の学習**」ボタンを9回押したときのシートの
様子が次ページの**図4-16**です。9個のパラメータが赤い
枠で囲われており、値が変更されたことが示されていま
す。

● **自動での学習**

　以上で見たように、「**ステップ毎の学習**」ボタンを用い
ると、本章で学んだ学習のプロセスを1つずつ確認できま
す。

　3章の演習ファイル03-01-1n-learn.xlsmと同様、そのプ
ロセスを一度確認したら、「**自動での学習**」ボタンにより
学習を一気に進めるのが便利です。実際にボタンをクリッ
クして損失関数が学習の過程でどう変化するか確認してみ
ましょう。

　損失関数の典型的な変化を231ページの**図4-17**に示し
ました。**図4-17**(A)は損失が0に収束していませんので学
習が失敗したことを表しています。**図4-17**(B)は損失が0
に収束していますから学習に成功したことを表します。

　なお、**図4-17**(A)のエポックが小さい領域では、損失の
値が上下に変動していますが、これは**3章**の演習と同様、
学習の進行の速さを重視して学習率ηの値を大きめの値
$\eta = 0.2$に設定しているためです。実際の研究などでは学習
率はより小さな値が用いられます。

　4-7の演習で解説しますが、5回に4回程度は**図
4-17**(A)のように学習に失敗します。**図4-17**(B)のように学

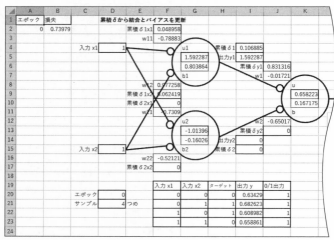

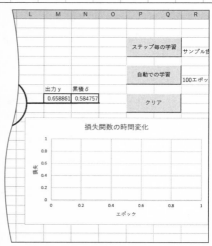

図4-16 「ステップ毎の学習」ボタンを9回クリックし、1エポック
　　　の学習が完了した様子

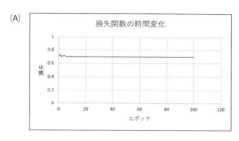

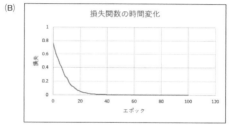

図4-17　「自動での学習」ボタンをクリックしたときの損失関数の
　　　　変化
　　　　(A)学習に失敗している様子、(B)学習に成功している様子

習が成功するのは5回に1回程度です。ただし、成功か失
敗かはランダムに決まりますから、運が悪ければ「**自動で
の学習**」ボタンを10回〜20回程度クリックして初めて学
習が成功することもあります。根気よく「**自動での学習**」
ボタンをクリックし、学習を成功させてみましょう。

　なお、**3章**の演習と同じく、この演習ファイルには「**入
出力関係**」シートがあり、学習後のネットワークの入力と
出力の関係をグラフで確認することができます。学習が失
敗したときは、次ページの**図4-18**のようにXORの関係は
実現されていません。学習が成功したときは223ページの

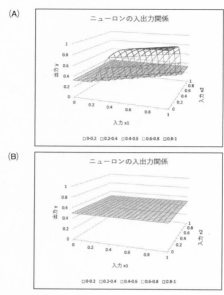

図4-18
XORの学習に失敗したときの「入出力関係」シート上のグラフの例

図4-13や225ページの図4-14の出力ニューロンのグラフ
のような状態が実現されているでしょう。

● **なぜ学習に失敗するのか？**

　ここで問題となるのは、**4-5**の演習でXORを実現可能
だとわかったにもかかわらず、学習でXORを実現できな
いことが多い（前ページの図4-17(A)）ことです。これ
は、1つのニューロンは線形分離可能なデータを必ず分類
できること（**3-9**で学んだパーセプトロンの収束定理）と

対照的です。

　XORの学習の成功率を上げる方法は**4-7**の演習で紹介するとして、ここでは、なぜXORの学習が失敗するかを考えてみましょう。この問題はニューラルネットワークの学習を理解する上で重要なものですから、詳しく解説します。

　損失関数を9つのパラメータ（**4-5**の演習で変更した9つの重みとバイアス）の関数と考え、その関数が**図4-19**のようなイメージ図で描けるものと考えましょう。これまでの章で言えば、この図は重みの関数として損失を表した121ページの**図3-13**～126ページの**図3-15**に対応します。

　もちろん、9つのパラメータに対する損失のグラフは10次元空間に描かれるべきものですから、実際に描くことはできません。しかしそれを、9つのパラメータの変化

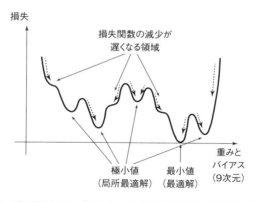

図4-19　局所最適解と「損失関数の減少が遅くなる領域」がたくさんある損失関数のイメージ図

を前ページの図4-19の横軸の変化に押し込めてイメージしようということです。

図4-19の特徴としてまず挙げられるのは、ニューロン1つの損失関数と異なりグラフに谷（極小値を取る点）がたくさんあることです。図では、そのうち1つを損失が最小値0となる点として描いています。

なお、4-5の演習により、XORを実現するパラメータが少なくとも2種類あることを我々はすでに知っています。その2種類とはそれぞれ223ページの図4-13と225ページの図4-14を実現するパラメータなのでした。

ですから、図4-19で最小値をとる谷もXORのケースでは少なくとも2つ以上あるはずです。それと同様に、極小値をとる谷もたくさんあるだろうということを図4-19は示しています。

● 局所最適解と最適解

図4-19で最小値を実現するパラメータの値をこのニューラルネットワークの**最適解**と呼び、さらに最小ではない極小値を実現するパラメータの値を**局所最適解**と呼びます。「局所」とは「狭い範囲での」という意味です。局所最適解は、谷の内部からなる狭い範囲を見れば最適解に見えますが、図4-19全体を見ればより低い谷が存在するという意味で最適解ではありません。ここで学んでいるニューラルネットワークが目指すことは損失関数を最小にするパラメータを見つけることです。これをパラメータの**最適化**と呼びます。

　さて、**3章**および**4章**で学んできた学習は、損失関数の微分に基づいてパラメータの値を変更するのでした。微分によって計算されるのは損失関数の接線の傾きであり、それは損失関数の狭い範囲の（局所的な）値から計算される量です。言い換えると、損失関数の微分によってパラメータを調整すると、損失関数を局所的に減少させることしかできないため、得られるのは局所最適解となってしまうということです。

　これを図で示したのが233ページの**図4-19**に示されている点線の矢印です。**3-8**で解説した通り、学習の開始時にパラメータはランダムな値に初期化されるのでした。パラメータのランダムな初期化は、**図4-19**では点線の矢印の１つをランダムに選ぶことに対応します。学習が進むと損失関数が減少するのですから、点線の矢印に沿って損失関数が減少するようパラメータが調整されます。これは129ページの**図3-16**の解説に類似していますね。このようにしてパラメータは局所最適解に収束していきます。これが、231ページの**図4-17**(A)で起こっている現象だと考えられます。

● 損失関数の減少が遅くなる領域

　さらに、**図4-19**には局所解と最小解以外に「損失関数の減少が遅くなる領域」が３つ記されています。これは損失関数の微分、すなわち接線の傾きが0に近い値をとる領域のことです。微分が0ということは、200ページの**(4-8) 式**と204ページの**(4-15) 式**によるパラメータの変

化はほとんど起こらないことを意味します。そのため、損失の値は長いエポックの間変化せず、学習が止まったような状態になります。

231ページの図4-17(A)はパラメータがこの「損失関数の減少が遅くなる領域」に捕らわれた状態であるという可能性もあります。

● プラトー

損失が図4-17(A)のように0以外の値から大きく変化しないとき、局所最適解に収束しているのでしょうか。それとも「損失関数の減少が遅くなる領域」に捕らわれているのでしょうか。それを知ることは多くの場合できません。

ただし「損失関数の減少が遅くなる領域」に捕らわれている場合は、長いエポックのあいだ学習を行うことでパラメータがその領域から抜け出すことがあり、それを確認することはできます。

Excelの演習でそれを確認することは時間がかかって大変ですので、筆者が別途行った実験の結果を次ページの図4-20に示します。この図では、25000エポックまで実験を行い、それまで停滞していた損失がおよそ17000エポックで急に0付近の値に減少した様子が示されています。このように、損失の減少が長期間停滞している領域のことをプラトーといいます。プラトーとは英語で高原、停滞期などを意味します。なお、図4-20では滑らかに減少する損失を実現するため、小さい学習率 $\eta = 0.01$ を用いました。

一方、長期間の実験を行っても、231ページの図4-17(A)

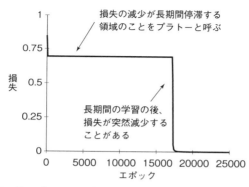

図4-20　長いプラトーの後、損失が突然減少することがある

のように損失が停滞したままのケースも多く見られました。その場合、パラメータがプラトーに捕らわれているのかそれとも局所最適解に到達しているのか、判断はできません。

　なお、ニューロン3つを用いてXORの学習を行う際に何が起こっているかは、甘利俊一氏らにより数学的に解析されています。研究レベルの議論ですが、興味のある方は巻末の参考文献［6］をご覧ください。

● ニューラルネットワークの学習の難しさ

　XORという簡単な機能を3つのニューロンで学習する演習を行ってきました。ニューロン1つの場合と異なり、パラメータの最適解を得ることが思いのほか難しいということが体験いただけたと思います。実際、1980年代から1990年代にかけて起こった第二次ニューラルネットワー

クブームが下火になった原因の一つが、最適解を得ること
の難しさなのでした。

逆に言えば、ディープラーニングにより第三次ニューラ
ルネットワークブームが起こったのは、この問題がある程
度乗り越えられたからだと言うことができます。

なお、XORの学習は多層ニューラルネットワークの最
も簡単な課題の一つですので、ディープラーニングの考え
方を用いなくとも簡単に学習の成功率を上げることができ
ます。次の演習で確かめてみましょう。ニューラルネット
ワークにおけるハイパーパラメータという概念を学びま
す。

4-7 演習 隠れ層のニューロンの個数を変えて XORを学習しよう

● 演習の目的とファイルの起動

4-7では、XORの学習において、隠れ層のニューロン
の個数を変えて学習を行うと学習の成功率が変化すること
を演習で確認します。

演習ファイル04-03-ml-nhn-xor.xlsmを実行しましょう。
Excelを用いている方は1Excelフォルダに含まれるファイ
ルを、LibreOfficeを用いている方は2Libreフォルダに含
まれるファイルを用いるのでした。また、Raspberry Pi
用のLibreOfficeをお使いの方は3Libre-RasPiフォルダに
格納されたファイルを用いてください。起動時に出るマク
ロについての警告に対しては**2-5**と同様に適切なボタンを

クリックしてマクロを有効にしてください。そうしないと本書のExcelプログラムは実行できません。

　図4-21のようなシートが現れます。このファイルは**4-6**の演習ファイルから「**自動での学習**」機能のみを残し、さらに隠れ層のニューロンの個数を変化させられるようにしたものです。

　シート上の「**隠れ層のニューロン数**」の部分は、次ページの**図4-22(A)**のように下向きの矢印部をクリックすることで、1から20までの値に変えられるようになっています。**4-6**の演習は隠れ層のニューロン数が2の場合だったわけです。

　なお、シートには「**正則化の効果の強さ**」という項目もありますがそちらは**5章**で解説しますので、本章ではそのままにしておきましょう。

　さて、デフォルトの隠れ層のニューロンの個数は10ですので、そのまま「**自動での学習**」ボタンをクリックして

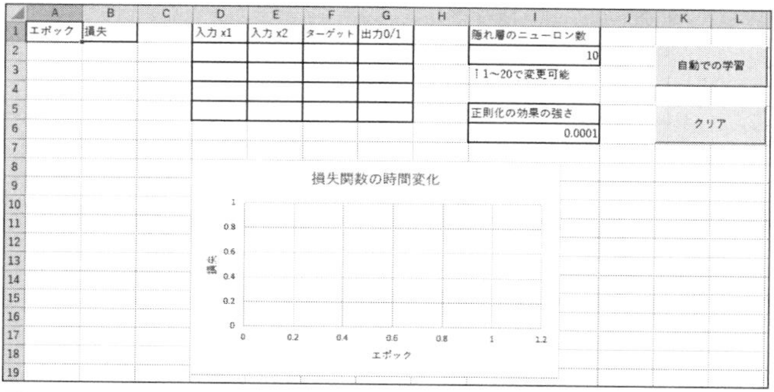

図4-21　演習ファイル04-03-ml-nhn-xor.xlsm を開いたときの画面

学習を実施してみましょう。

● 隠れ層のニューロン数を増やすと、
学習に成功する確率が上がる

「自動での学習」ボタンをクリックした後に現れるグラフを示したのが図4-22(B)です。学習に成功していることがわかります。これだけでは4-6の演習との違いはわかりませんが、「自動での学習」ボタンを何度かクリックし学習を複数回行ってみると、学習に成功する確率が上がっていることに気が付くはずです。これは、隠れ層のニューロン数を増やしたことによる効果です。

　また、図4-22(A)の箇所で隠れ層のニューロン数を変化させて学習を繰り返してみましょう。隠れ層のニューロン数が多いほど学習の成功率が上がることも体感できるでしょう。

　それでは、隠れ層のニューロン数を増やすことで学習の

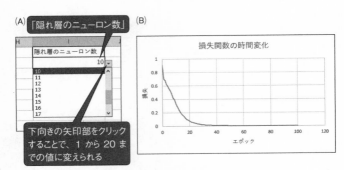

図4-22　(A)隠れ層のニューロンの個数を変更できる
　　　　(B)隠れ層のニューロンが10個のときの損失の減少

成功率はどの程度上がるのでしょうか。それを演習で確かめるのは大変なため、筆者が調べた結果を図4-23に示します。横軸は隠れ層のニューロンの個数、縦軸は学習の成功率を百分率で表したものです。学習の成功率は、それぞれのニューロン数で学習を10000回行い、損失が0に近い値に収束した場合の回数を数えることで求めました。

　隠れ層のニューロン数が増えることで学習の成功率が上昇することが図4-23からわかります。4-6の演習で行ったニューロン数2個の場合の成功率はおよそ20%、すなわち5回に1回程度しか成功しないことも読み取れますね。

　また、隠れ層のニューロン数を15以上にすることで、学習の成功率がほぼ100%になることが読み取れます。

● ハイパーパラメータ

　ここで変更した隠れ層のニューロン数のように、学習を

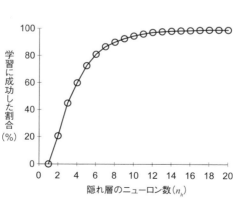

図4-23
隠れ層のニューロンの個数を変化させたときの学習の成功率の変化

始める前にあらかじめ決めておかなければならない変数の
ことを、ニューラルネットワークでは**ハイパーパラメータ**
といいます。

本書のここまでの範囲に登場したハイパーパラメータと
しては、隠れ層のニューロン数のほかに学習率ηや隠れ層
の層数が挙げられます。隠れ層の層数が2以上のネット
ワークのことをDNNと呼ぶのでしたね。

ハイパーパラメータの変更が、学習の成否や、パラメー
タが最適解にたどり着けるかどうかなどに影響を与えるこ
とは今の演習で確認した通りです。ですから、ハイパーパ
ラメータをどのように決めるかは重要です。

ニューラルネットワークはパラメータを自動で変更する
能力をもつことを**3章**と**4章**で学びましたが、ハイパーパ
ラメータの値の決定は多くの場合手動で行われます。その
値は、一般によく使われる値をそのまま使ったり、利用者
の経験や試行錯誤に基づいて決めることが多くなっていま
す。良いハイパーパラメータの値を見つけなければならな
いことが、ニューラルネットワークの難しさの一つと言え
るでしょう。

なお、ハイパーパラメータを自動で決定する試みもあり
ますが、本書での解説は省略します。

●隠れ層のニューロン数は損失関数にどう影響するか

さて、隠れ層のニューロン数を15以上にすると、ほぼ
100%の確率で学習が成功することを演習で確認できまし
た。これを、233ページの図4-19の損失関数の形状のイ

メージに当てはめて理解するとどうなるでしょうか。

　まず、233ページの図4-19の損失関数の横軸が「重みとバイアス（9次元）」と書かれていたことに注意してください。重みとバイアスが9個だったのは、出力層も含めたニューロンの個数が3個であったためです。ですから、隠れ層のニューロンの個数を変えると重みとバイアスの個数も変化し、その結果図4-19の損失関数の形状も変化することになります。

　そして、ほぼ100%の確率で学習が成功したということは、局所最適解や「損失関数の減少が遅くなる領域」がなくなったか、あるいはそれらに捕らわれる確率がほぼ0に近づいた、ということを意味します。

　このように、学習がスムーズに進む損失関数を得ることがニューラルネットワークの学習にとって重要であると言えます。

　なお、隠れ層のニューロンの個数を増やすだけで最適解に高確率でたどりつけるようになったのは、XORの課題が非常に簡単だったからです。より現実的な課題では、学習の性能を上げるためのさまざまな工夫が必要となります。5章でそのいくつかを紹介します。

● なぜ隠れ層のニューロンの個数を増やすと　学習の成功率が上がるのか

　それでは、なぜ隠れ層のニューロンの個数を増やすと学習の成功率が上がったのでしょうか。

　XORにおける隠れ層のニューロンの役割は、223ページ

の図4-13と225ページの図4-14を見ると理解しやすいでしょう。図4-13でも図4-14でも、隠れ層の2つのニューロンはそれぞれ異なる入力ベクトルに対して1となるニューロンとなっています。図4-13では$x = (1, 0)$と$x = (0, 1)$、図4-14では$x = (1, 1)$と$x = (0, 0)$です。これを「隠れ層の2つのニューロンはそれぞれ異なる特徴に対して反応する（1を出力する）ニューロンである」と解釈してみましょう。異なる特徴に反応する2つのニューロンの出力を統合してXORが実現されるのです。

ニューロンが入力の特徴に反応するという考え方は、**3-9**および**3-10**の演習でも登場しました。166ページの図3-35のような「2」の形状に似た位置に大きな重みをもったニューロンは、「2」に似た入力に対して1を出力するのでしたね。言い換えればこのニューロンは「2」の特徴に反応しているということです。

さて、図4-13と図4-14のように隠れ層の2つのニューロンがそれぞれ異なる特徴に反応すればXORは実現できます。しかし、もし隠れ層の2つのニューロンがどちらも同じ特徴（たとえば$x = (1, 0)$）のみに反応するニューロンとなってしまうとXORを実現することはできません。232ページの図4-18はそのような例になっていると考えられます。隠れ層のニューロンの重みとバイアスはランダムに初期化されるのですから、そのようなことは実際に起こりうることです。

以上のように考えると、隠れ層のニューロンの個数を増やすことは、同じ特徴に反応するニューロンしか存在しな

い状況を避け、さまざまな特徴に反応するニューロンが複数できる確率を上げることに対応します。これが、隠れ層のニューロンの個数を増やすと学習の成功率が上がる理由です。

4-8　演習　多層ニューラルネットワークで手書き数字を認識しよう

●演習の目的と学習用ファイルの起動

4-8の演習では多層ニューラルネットワークで手書き数字の認識を行います。**3章**の演習との違いは、隠れ層のニューロンが存在することです。4-7の演習により、さまざまな特徴に反応するニューロンが多数必要であることがわかりました。そのため、隠れ層のニューロンの個数を$n_h =$ 100とします。実際に演習を行ってみると、このニューロン数で問題ないことがわかります。さらに、出力層のニューロン数を191ページの図4-3で解説したように10個とします。それにより、**3章**と異なり0から9の10個の数字を個別に認識することができるのでした。

演習ファイル04-04-ml-digits-learn.xlsmを実行しましょう。Excelを用いている方は1Excelフォルダに含まれるファイルを、LibreOfficeを用いている方は2Libreフォルダに含まれるファイルを用いるのでした。また、Raspberry Pi用のLibreOfficeをお使いの方は3Libre-RasPiフォルダに格納されたファイルを用いてください。起動時に出るマクロについての警告に対しては**2-5**と同様に適切なボタン

をクリックしてマクロを有効にしてください。そうしない
と本書のExcelプログラムは実行できません。

●**学習用のファイルでは学習を実行しないことを推奨**

ファイルを開くと図4-24のような画面が現れます。こ
のファイルは学習を実行するためのものですが、これまで
のファイルと異なり学習後の結果が記入済みとなっていま
す。**このファイルの学習には時間がかかるため、「自動で
の学習」ボタンを押さないことを推奨します。**筆者があら
かじめ学習しておいた結果を観察するのみとするのが無難
です。

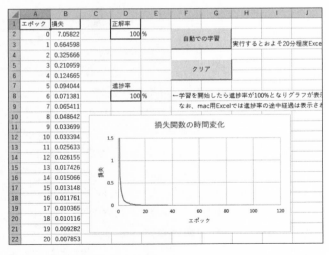

図4-24
演習ファイル04-04-ml-digits-learn.xlsm を開いたときの画面

　学習にかかる時間は、コンピュータの性能にもよりますがWindows版Excelで20分程度、macOS用Excelではその数倍の時間がかかることでしょう。LibreOffice用ファイルでは丸一日以上かかることがあります。もちろん、それを理解した上で時間に余裕がある方は学習を試してみても構いません。

　なお、「自動での学習」ボタンを押してしまったものの、学習を強制終了したくなった場合はその方法を**付録B**に記しましたので必要に応じて参照してください。

● 学習済みファイルの解説

　前ページの**図4-24**は**3章**の演習ファイルの画面（162ページの**図3-31**）とほぼ同じなので、**3章**の演習を行った方ならば問題なく理解できるでしょう。正解率が100%と記されているのは、1797個の入力に対して、出力とターゲットをすべて等しくすることができたということを意味します。

　損失はすみやかに減少して0付近の値に収束していることがわかります。なお、この学習にはいくつかの工夫が取り入れられています。その詳細は**5章**で解説します。

　このファイルの「重み」シートには次ページの**図4-25**のようにたくさんの数字が記されています。これは**3章**の演習の**図3-33**(B)（164ページ）のように学習後のパラメータ（重みとバイアス）がシートに書き込まれたものです。**3章**に比べてパラメータの数がかなり増えていることがわかります。「重み」シートのj行目（$j = 1, 2, \cdots, 100$）に

	A	B	C	D	E	F	G	H
1	1.28E-22	-0.01926	0.033782	0.05274	-0.18175	-0.10999	0.112008	0.043978
2	-1.1E-23	0.043306	0.037325	0.05613	0.075246	-0.095	0.034927	0.002976
3	9.34E-24	-0.0094	-0.1049	0.098841	-0.19098	-0.11358	0.017638	-1.4E-23
4	-1.3E-23	-0.03743	0.016916	-0.07284	-0.1784	-0.07282	0.088684	0.057805
5	-3.1E-22	-0.08979	0.016549	0.047476	0.132512	-0.03637	0.185698	0.117741
6	-3.9E-23	-0.13097	0.033174	-0.11155	-0.09886	-0.15926	0.016439	-0.06998
7	-2.2E-22	1.09E-06	-0.02065	-0.13196	0.002239	-0.02137	-0.13389	-0.00025
8	1.46E-22	-3.2E-23	-0.00953	-0.10911	-0.08988	-0.04857	-1.3E-23	2.51E-24
9	3.13E-22	-0.19791	0.092897	0.174344	-0.10939	-0.13974	0.101009	0.164729
10	3.16E-23	-0.00704	-0.1052	0.030646	0.114045	0.005093	-0.1899	-0.05164
11	-4.7E-23	-0.03428	-0.12232	-0.05372	0.027132	0.117149	-0.17267	-0.00937
12	2.77E-22	-0.03404	-0.21658	-0.02736	0.050873	-0.08623	-0.36803	0.019743

図4-25 「重み」シートに記入されている学習済みの重みとバイアス

は、隠れ層のj番目のニューロンの重みとバイアス
$(w_{j1}^{(h)}, w_{j2}^{(h)}, \cdots, w_{j64}^{(h)}, b_j^{(h)})$が記されています。「64」は入力となる画像の次元（ピクセル数）なのでしたね。「重み」シートの100+k行目（$k = 1, 2, \cdots, 10$）には、出力層のk番目のニューロンの重みとバイアス$(w_{k1}, w_{k2}, \cdots, w_{k100}, b_k)$が記されています。

ですから、学習されたパラメータの個数は$100 \times 65 + 10 \times 101 = 7510$個となります。これだけのパラメータが、本章で学んだ数式に基づいて自動的に変更されたということです。

以上を確認したら、学習用のファイル04-04-ml-digits-learn.xlsmをいったん閉じ、推論用のファイル04-05-ml-digits-recognition.xlsmを実行してみましょう。

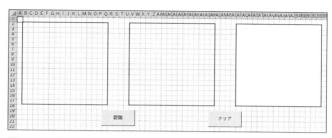

図4-26　演習ファイル04-05-ml-digits-recognition.xlsm を開いたときの画面

● 推論用のファイルでの数字の認識

推論用のファイル04-05-ml-digits-recognition.xlsm を開いたときの画面が図4-26です。マクロを有効化することを忘れないでください。**3章**の演習の画面とほとんど同じですね。なお、このファイルの「**重み**」シートには前ページの図4-25の学習済みのパラメータがそのまま貼り付けられています。それにより推論が可能となるのも**3章**の演習と同じです。

3章では「描いた数字が2かそれ以外か」といった判定を行ったのに対し、本章の演習では「描いた数字が0から9のどれか」を判定します。実際にマウスのクリックにより数字の「8」を描いて認識された様子が次ページの図4-27です。皆さんもさまざまな数字を描いて認識を試してみましょう。

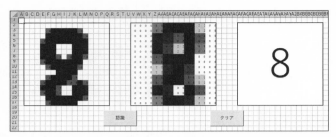

図4-27　マウスで「8」を描いて「認識」ボタンをクリックしたときの画面

●多層ニューラルネットワークは

数字のどのような特徴をとらえているのか

この演習の最後に、多層ニューラルネットワークが数字のどのような特徴をとらえているのかを解説しましょう。

学習用のファイル04-04-ml-digits-learn.xlsmを再び開き、「重みの画像表示」シートを選択してみましょう。図4-28のような画面が現れます。

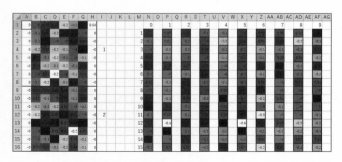

図4-28　演習ファイル04-04-ml-digits-learn.xlsmの「重みの画像表示」シートに記された重みの表示

250

　この画面のＡ列からＨ列には、隠れ層の100個のニューロンのシナプスを**3章**の図3-35（166ページ）のように画像状に表示しています。黒色は重みが大きいことを表し、ニューロンはその位置の入力に反応するのでした。

　またＮ列からＡＦ列には、出力層の10個のニューロンの重み（それぞれ100個）をやはり色付けして表示しています。

　数字「2」を認識させる場合を例に、このシートの見方を解説しましょう。まず、出力層の数字「2」に対応するニューロンの重みにであるＲ列に注目しましょう。次ページの**図4-29**に示されているように、Ｒ列には赤い枠が2つあります。これは、このニューロンの重みのうち最も大きい2つを赤い枠で囲ったものです。**図4-29**に示されているように、このニューロンは隠れ層の57番目と59番目のニューロンの出力に強く反応することがわかります。そして、隠れ層の57番目と59番目のニューロンの重みを観測すると、次ページの**図4-30**のようになっています。出力層の数字「2」に対応するニューロンは、**図4-30**の黒い点の位置の入力に強く反応するということです。

　そこで推論用のファイル04-05-ml-digits-recognition.xlsmを開き、**図4-30**の黒い点の位置に入力を与えて認識を実行したのが253ページの**図4-31**です。確かに数字「2」と認識されました。

● 4章のまとめ

　多層ニューラルネットワークのパラメータの学習方法を

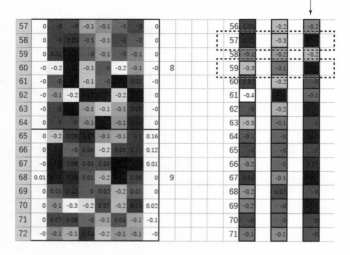

出力層で数字「2」に反応するニューロン

図4-29　出力層のニューロンで数字「2」に対応するものは、隠れ
層の57番目と59番目のニューロンからの入力に強い重み
を割り当てている

(A)　隠れ層の57番目の
ニューロンの重み

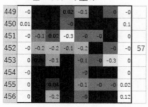

(B)　隠れ層の59番目の
ニューロンの重み

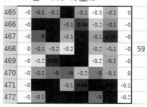

図4-30
隠れ層の57番目と59番目のニューロンがもつシナプスの画像表示

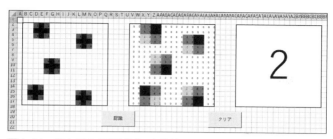

図4-31　隠れ層の57番目と59番目のニューロンが反応する特徴を
　　　　画像上に配置することで、数字「2」が認識されたところ

解説し、XORと手書き数字の学習で確認を行いました。

　学習は数式の通り動作したと言えますが、局所最適解や
「損失関数の減少が遅くなる領域」に捕らわれ、学習が進
まないという問題が起こることを体験しました。

　この問題を解決するため、ハイパーパラメータと呼ばれ
る変数を手動で調節しなければならないことがあることも
体験しました。

　また、隠れ層のニューロンは入力の何らかの特徴に反応
し、出力層のニューロンはそれを統合することも学びまし
た。

　以上で、ディープニューラルネットワークを含む多層ニ
ューラルネットワークを用いるための最低限の知識を身に
着けたことになります。しかし、現代のニューラルネット
ワークではこれ以外にもさまざまな工夫が取り入れられて
います。それを**5章**で学びましょう。

5章 ディープラーニングと さまざまな手法

5-1 本章で学ぶ内容

●これまで学んだ内容の現代的な意味

4章で多層ニューラルネットワークとその学習について学びました。これは1980年代後半から1990年代にかけての第二次ニューラルネットワークブームで主に用いられたものです。しかし、4章までに学んだ内容が現在では通用しない古いものかというとそうではなく、現在のディープラーニングでも使われている考え方ばかりです。

実は、4章で学んだ内容には第二次ニューラルネットワークブーム以降に提案されたものも含まれていました。隠れ層の活性化関数として用いたReLUがそうです。ReLUは、2000年にニューラルネットワークを電子回路化する際に導入され、それがニューラルネットワークの性能を向上させることがわかり広く使われるようになったのは2011年以降です。

このReLUの例のように、ブーム終息後も研究が継続され、さまざまな手法が提案され続けたことが現在のディープラーニングブームのきっかけとなったと言えるでしょう。

　本章では、現在のディープラーニングに欠かせない手法をいくつか紹介します。第二次ブーム当時から用いられているものもあれば、2000年代に入ってから導入されたものもあります。

● **本章で学ぶ手法**

　本章のはじめに、2006年にディープラーニングが注目されはじめたきっかけとなったオートエンコーダというネットワークについて紹介します。

　そして、現代のニューラルネットワークの学習に用いられる4つの手法を紹介します。これまでの章と異なり、それぞれの手法の解説はおおむね独立しています。読んでいて混乱を招くかもしれませんので、ここであらかじめすべて紹介しておきましょう。

表5-1　本章で学ぶ手法

手法	効果
Adam	パラメータを更新する式を置き換える。学習の進行とともに学習率を変化させるのと同等の効果があり、その結果学習の進行が速くなる。さらに、パラメータの変化を滑らかにする効果もある
確率的勾配降下法（SGD）	学習の際、データをすべてまとめて学習させるのではなく、データをミニバッチといういくつかのグループに分けて学習させる。損失関数において傾きが小さい領域を抜け出しやすくなり、学習の進行も速くなる
正則化	パラメータのうち、シナプスの重みの大きさに制約を与えることでデータの過学習を防ぐ（「過学習」は5-5にて解説）
ドロップアウト	パラメータを共有した複数のネットワークを切り替えながら学習を行い、過学習を防ぐ

なお、上記の手法のうちいくつかは**3章**および**4章**の演習でもすでに使われていました。その使用状況も表にしておきましょう。○が使われていたことを、×は使われていなかったことを示しています。

表5-2　**3章および4章の演習における手法の使用状況**

	3章 XOR	3章 手書き数字	4章 XOR	4章 手書き数字
Adam	○	○	○	○
確率的勾配降下法（SGD）	×	×	×	○
正則化	×	×	○	○
ドロップアウト	×	×	×	×

　また、本書で新たに登場する文字は**表5-3**の通りです。

表5-3　**本章で登場する文字**

W_{1e}、W_{2e}、W_{2d}、W_{1d}	オートエンコーダで用いられる複数の重みをまとめたもの（行列）
β_1、β_2、ε	Adamで用いられるハイパーパラメータ
$m(t)$、$v(t)$	Adamで用いられる1次と2次のモーメント
N_b	バッチサイズ。ミニバッチ内のデータ数を表すハイパーパラメータ
α	正則化の効果の強さを表すハイパーパラメータ
p	ドロップアウト使用時にニューロンが存在する確率

　なお、本章で新たに用いる高校数学の知識はありません。

● これまでの章との違い

本章で紹介する手法の性能を評価するには、**4-7**の図 4-23（241ページ）のように学習をたくさん繰り返して結果を平均する必要があります。そのため、前章までのように演習で手軽に性能の向上を確認することが困難です。筆者があらかじめ学習を繰り返して得た結果を紹介することがメインとなりますのでご了承ください。

5-2　ディープラーニングでの隠れ層の役割

● 隠れ層を増やす理由

現在のニューラルネットワークで使われる手法を解説する前に、そもそもなぜ隠れ層の数を増やすのかを考えてみましょう。

これまでの演習で、入力を受け取るニューロンや隠れ層のニューロンは、入力の特徴に反応するということを確認しました。これを**特徴抽出**といいます。

たとえばXORの演習では、**4-5**の図 4-13（223ページ）にて隠れ層のニューロンが異なる2つの入力に対して反応しているところを示し、これを**4-7**では2つの特徴に反応するニューロンとして解説しました。

手書き数字認識の演習では、**3-9**の図 3-35（166ページ）および**4-8**の図 4-28（250ページ）〜図 4-31（253ページ）にて、ニューロンのシナプスの重みが手書き数字の特徴を反映していることを解説しました。

この特徴抽出という観点から隠れ層のニューロンの役割

を考えます。

● 万能近似定理

　一般に、隠れ層を１つもち、その内部のニューロンの個数が十分に多いが有限である多層ニューラルネットワークは任意の関数を近似する能力をもつことが第二次ニューラルネットワークブームの頃から知られています。これを**万能近似定理**（Universal Approximation Theorem）と呼びます。

　この定理は**3章**で紹介した機械学習の回帰（104ページの図3-8）に関連するものであり、本書で扱っている分類の話ではありません。しかし分類においても、隠れ層のニューロンの個数が十分に多ければより複雑な境界をもつ分類課題に対応できると考えられます。これは、特徴抽出を行う隠れ層のニューロンの個数が十分に多い必要があるということです。

　しかし、より複雑な分類が可能になるとは言え、その最適解に学習で容易に到達できるとは限りません。それは、233ページの**図4-19**の損失関数の形状の図で解説した通りです。さらに、隠れ層の中に必要なニューロンの個数が、コンピュータに取り扱えないほど大きくなることもあり得ます。

　そこで、隠れ層のニューロンの個数をある程度の大きさにとどめておき、隠れ層の層数を増やすというのが現在のディープラーニングで行われていることです。

● **視覚情報処理での特徴抽出**

　ではなぜ隠れ層の層数を増やすのでしょうか。それに関わる、人間などの動物による視覚情報処理について解説しましょう。

　図5-1(A)は人間の視覚情報が目から脳へと伝わる間にどのような経路で処理されるかを示した図です。これは37ページの図2-1を再掲したものです。視覚情報が人間の網膜内にある視細胞で電気信号に変換され、神経節細胞や外側膝状体（LGN）などを経由して、大脳皮質の視覚野で

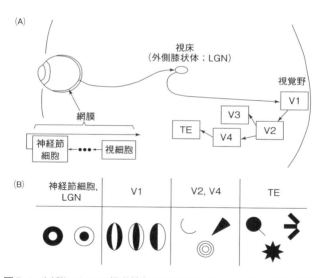

図5-1　(A)脳において視覚情報が伝達されるイメージ。図2-1(A)の
　　　　再掲
　　　　(B)多くのニューロンによる処理を経て、複雑な特徴に反応
　　　　するようになる様子

さらに処理されていくことを示した図なのでした。

2章ではこの視覚情報の「処理」がどのようなものかについては解説しませんでした。しかし、ここまでの章を学んだ方ならば、この図5-1(A)（前ページ）の経路に存在するニューロンが、入力の特徴を抽出するのだということはイメージできるのではないかと思います。

もちろん、我々がここまで学んできたのは人工ニューラルネットワークの働きであり、生体の脳についてではありません。しかし、ニューロンが入力の特徴抽出をするというのは生体の脳でも受け入れられている考え方です。

図5-1(A)のそれぞれの部位で、どのような視覚情報に対して反応するニューロンが存在するかを図5-1(B)に示しました。これは、ネコやサルなどを用いた実験によって明らかになった結果です。

神経節細胞やLGNには、暗い領域の中央に明るい点があるような視覚刺激に強く反応するニューロンが存在します。その逆に、明るい領域の中央に暗い点があるような視覚刺激に強く反応するニューロンもあります。これは「点」という特徴が抽出されていることを意味します。

V1には黒い領域の中央にある明るい棒状の領域やその逆に反応するニューロンが存在します。さらに、白い領域と黒い領域の境界（エッジ）に反応するニューロンも存在します。神経節細胞やLGNに比べ、より複雑な特徴に反応するようになっていることが重要です。

さらに、V2、V4やTEへと処理が進むにつれ、図5-1(B)に示されているように、さらに複雑なパターンに反

応するニューロンが存在することが知られています。

● 複数の隠れ層で複雑な特徴を抽出したい

このように、視覚情報の処理が進むにつれて複雑な特徴が抽出されるという事実を人工ニューラルネットワークに当てはめると、隠れ層を増やすことで同様の効果が得られるのではないかという期待が生まれます。層を増やすことで、より複雑な特徴に反応するニューロンが現れ、より複雑な入力の分類ができるのではないかということです。

このように、生体の脳の働きを参考にすると、ニューラルネットワークの隠れ層の数を増やすという考え方は自然な発想なのです。

ただし、隠れ層を増やしたからといって259ページの図5-1のような情報処理が直ちに実現されるわけではありません。層を増やすことで逆に学習が困難になるためです。

● オートエンコーダでの例

現在、ディープラーニングがブームになっているということは、隠れ層を増やすことによる困難をある程度乗り越えられたからだと言えます。その先駆けと言えるのは、2006年にヒントンらによって提案された、層ごとに学習を行う手法です。歴史的に重要ですのでここで簡単に紹介しましょう。

彼らが取り扱ったのは次ページの図5-2のような**オートエンコーダ**（自己符号化器）と呼ばれるものです。画像を入力したとき、複数の隠れ層を経て得た出力が入力そのも

のとなっていることを目指すネットワークです。

　オートエンコーダにより入力がそのまま出力されること自体は、ここではそれほど重要ではありません。重要なのは、隠れ層により入力の特徴が抽出されるようなネットワークを目指すことです。

　なお、ヒントンらが実際に用いたのは**制限付きボルツマンマシン**と呼ばれる数学的な手法です。ここでそれをゼロから解説するのは困難のため、我々がこれまで学んできたニューラルネットワークに当てはめて解説しますのでご了承ください。

●オートエンコーダの入力と重み

　たとえば我々がこれまで例として用いてきた手書き数字をオートエンコーダに入力すると考えてみましょう。入力ベクトルの成分の値は0から16の範囲の整数値をとるので

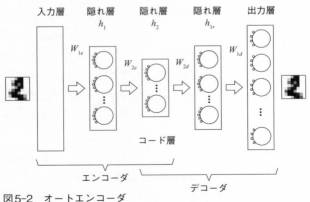

図5-2　オートエンコーダ

した（93ページの**図3-3**）。この値をニューロンにそのまま出力させるのは難しいため、入力ベクトルの成分をあらかじめ16で割っておく必要があります。そうすると、入力の値は0から1の範囲の実数となるため、ロジスティック関数などを用いることでその値を出力することができます。

　入力と出力を一致させる際、**3章**や**4章**で扱ってきた分類の例とは異なり、ターゲット（教師）が存在せず入力と出力だけで学習できます。そのため、前ページの**図5-2**のオートエンコーダは**表3-3**（102ページ）の**教師なし学習**の一種です。

　なお、**図5-2**では図が複雑になることを避けるためニューロン間の結合を表す線を省略しています。また、各層にあるシナプスの重みをまとめてW_{1e}、W_{2e}などと表記しています。**2章**で学んだように、ニューロン1個には重みベクトル**w**が存在するのでした。それを層内でまとめると、数学的には**行列**と呼ばれるものになるのですが、本書では重みの行列での表現には深入りしません。ただし、W_{1e}などを太字で表記していないのはそれがベクトルではなく行列であるから、ということは注意しておきます。さらに、バイアスはすべてW_{1e}やW_{2e}などに含まれているとして以後の話を進めます。

● オートエンコーダの構造

　入力の特徴をオートエンコーダに埋め込むため、**図5-2**に示されているように隠れ層がh_1、h_2と進むごとにニュー

ロンの個数を少なくする必要があります。262ページの図5-2では隠れ層h_2でのニューロン数を最も小さくしましたが、h_3、h_4と層数をより増やしても構いません。層が深くなるごとにニューロンの個数を減らします。ニューロンの個数が最小である隠れ層を**コード層**といいます。

コード層のニューロン数は入力画像のピクセル数（データの次元）よりも小さくなっています。それにもかかわらず出力層で入力が再現されたならば、入力の特徴がコード層により抽出されていると言えるでしょう。言い換えると、入力の情報がコード層において圧縮されているということです。

コード層以降はネットワークが左右対称になるようにニューロンの数を増やしながら層を追加し、それを出力層まで続けます。図5-2では隠れ層h_1に対応する隠れ層h_{1r}と、入力層に対応する出力層が追加されています。なお、入力層からコード層を**エンコーダ**、コード層から出力層までを**デコーダ**と呼びます。

最も簡単なオートエンコーダは、入力層と出力層の間にコード層のみが存在するネットワークです。

そして、間に隠れ層を増やしていったオートエンコーダを**ディープ・オートエンコーダ**と呼ぶこともあります。

● オートエンコーダの学習

図5-2のネットワークではコード層に入力の特徴が現れると述べました。しかし、それを実現するためにはこれまで体験してきたようにニューラルネットワークの学習が必

要です。隠れ層が複数ある場合の学習の困難さはオートエンコーダでも変わりありません。

　2006年に提案されたのは、学習を層ごとに個別に行うという方法です。それを次ページの図5-3で解説します。まず、262ページの図5-2のネットワークから隠れ層h_1までの部分を取り出し、図5-3(A)のように出力層を接続します。そして、入力層と出力層が一致するよう、重みの集合W_{1e}を学習します。これは**4章**で学んだことと同等です。なお、W_{1d}も一緒に学習させても良いのですが、W_{1d}はW_{1e}を用いて求められることが知られているので、それを用いても構いません。学習が終了すると、**4章**で体験したように、W_{1e}の重みには入力の特徴が埋め込まれているはずです。

　W_{1e}の学習が終わると、次は図5-3(B)のネットワークでW_{2e}の学習を行います。その際、先ほど学習済みのW_{1e}は変化させずに固定しておきます。隠れ層h_2とh_{1r}を接続し、隠れ層h_1とh_{1r}の出力が一致するよう学習するのです。隠れ層h_1とh_{1r}は隠れ層h_2にとっての入力と出力ですから、図5-3(A)と図5-3(B)とは同じことを異なる層で行っています。その結果、W_{2e}には「隠れ層h_1の出力の特徴」が埋め込まれます。隠れ層h_1は入力の特徴を表現するのですから、隠れ層h_2には「入力の特徴の特徴」が埋め込まれるということです。

　この手続きを繰り返すことで、隠れ層の層数が多いネットワークの学習も可能になります。

●オートエンコーダを教師あり学習の分類に用いる

図5-3の方法で学習が完了したオートエンコーダを、これまで体験してきた教師あり学習の分類に用いることができます。このとき、オートエンコーダによる学習を**事前学**

(A) ステップ1

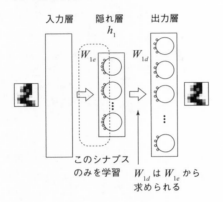

(B) ステップ2 (h_1 と h_{1r} が同じ出力となるよう W_{2e} を学習)

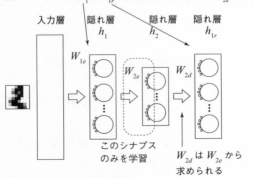

図5-3　オートエンコーダの学習

習（pre-training）といいます。

　その手法を解説したのが図5-4です。オートエンコーダで事前学習させた隠れ層h_1とh_2を用い、最後に出力層のニューロンを加えた例を示しました。手書き数字の場合だと4章で学んだようにニューロン10個でソフトマックス関数を用います。そして4章で学んだように学習を行います。このステップを**ファインチューニング**といいます。**4章**との違いは、オートエンコーダで学習済みの重みW_{1e}とW_{2e}を初期値として用いることです。

　4章ではすべての層のすべての重みとバイアスはランダムに初期化されていました。それに対し、**図5-4**ではあらかじめ入力の特徴を反映した重みW_{1e}とW_{2e}が初期値として用いられるのです。233ページの図4-19を解説した際、重みとバイアスの初期値を選ぶことは、損失関数の坂を下るときの最初の位置を決めること（矢印の1つを選ぶこ

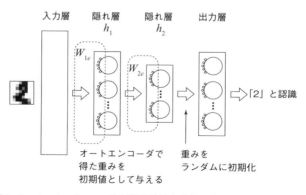

図5-4　オートエンコーダの学習結果を分類に応用

と）だと述べました。前ページの**図5-4**のネットワーク
は、良い解を見つけるために都合の良い位置から学習を始
めることを意味します。この方法は隠れ層が複数あるネッ
トワークを学習するために効果的であることがわかり、ディ
ィープラーニングのブームが始まったのです。

● その後の展開

　オートエンコーダの例で解説したように、教師なし学習
による層ごとの事前学習の結果を初期値として与える手法
が2006年頃以降ディープラーニングへの注目が集まるき
っかけとなったのでした。

　しかし、教師なし学習による事前学習は自然言語処理な
どの分野を除き、現在では主流ではありません。より効果
的な学習手法が提案されているからです。それらの手法を
用いる場合は、**4章**で行ったようにパラメータはランダム
に初期化されます。

　以上の解説で、ディープラーニングにおいては「隠れ層
が2つ以上ある」というネットワークの構造だけではな
く、ネットワークを効果的に学習するための手法も重要で
あることがわかります。さらに、その学習手法は研究の進
展とともにより良い手法で置き換えられる可能性があるこ
ともわかります。本章では、執筆時点での定番の手法をい
くつか紹介します。

5-3 Adamで効率よくパラメータを変化させる

●Adamとは

5-3では、現代のニューラルネットワークで使われている手法の一つとしてAdamを紹介します。

Adam（アダム）とはAdaptive Moment Estimationの略で、ニューラルネットワークのパラメータを効率よく更新するための手法です。訳語はなくそのままAdamと表記されることが多いように思います。本来は**5-4**で解説する確率的勾配降下法とともに用いられるものですが、本書ではそれ以外の場合にも用いています。

ニューラルネットワークのパラメータをwからw'に更新する際、典型的には次式で行うのでした。

$$w' = w - \eta \frac{\partial L}{\partial w} \qquad \cdots (5\text{-}1)$$

この式は隠れ層、出力層にかかわらず用いられ、さらにバイアスに対しても同様の式が用いられます。パラメータwの添え字は省略して書いております。

ここで、ηは学習率と呼ばれるハイパーパラメータで、wを少しずつ変更するため小さな値を設定するのでした。

（5-1）式を見ると、wの更新は損失Lのwでの偏微分に基づいていますが、ηが掛けられていますので偏微分の値そのものが重要なのではないことがわかります。実際には偏微分の値が正か負か（wの値を減らすか増やすか）が重要なのです。

そう考えると、学習初期は大きなηでwを大きく変更し、学習後期は小さなηでwを少しずつ変更すると効率が良いのではないか、という発想が生まれます。

● Adamの定義

　それを実現するさまざまな手法がこれまで用いられてきました。その中で、Adamは2015年に提案された比較的新しい手法です。学習率ηを学習中に変更するのではなく、前ページの（5-1）式を丸ごと以下の更新ルールで置き換えるというものです。

$$\left. \begin{array}{c} m(t+1) = \beta_1 m(t) + (1-\beta_1)\dfrac{\partial L}{\partial w} \\[2ex] v(t+1) = \beta_2 v(t) + (1-\beta_2)\left(\dfrac{\partial L}{\partial w}\right)^2 \\[2ex] \widehat{m} = \dfrac{m(t+1)}{1-\beta_1^{t+1}} \\[2ex] \hat{v} = \dfrac{v(t+1)}{1-\beta_2^{t+1}} \\[2ex] w' = w - \eta\dfrac{\widehat{m}}{\sqrt{\hat{v}}+\varepsilon} \end{array} \right\} \cdots (5\text{-}2)$$

　ここで、tはパラメータwの更新の回数を表す変数で、$t = 0$で初期化されます。$m(t)$と$v(t)$はそれぞれ1次と2次の**モーメント**と呼ばれる量で$m(0) = 0$、$v(0) = 0$で初期化されます。さらに、新たに導入されたハイパーパラメータは

$\eta = 0.001$ に対して β_1=0.9、β_2=0.999、ε=10^{-8} の値を用いるのが良いとされています。

（5-2）式は複雑であるため、効率が良い理由を要点2つのみに絞って述べます。

1つ目のポイントは、w の変更に直接関わっているのは損失の偏微分 $\partial L/\partial w$ そのものではなくその1次のモーメント $m(t)$ であることです。$m(t)$ の計算は前ページの（5-2）式の1つ目の式で行われ、$\partial L/\partial w$ を時間方向に平均する効果があります。その結果、$\partial L/\partial w$ のノイズ状の変動を取り除いた量が $m(t)$ となり、それを用いることで w のなめらかな変化が期待されます。

2つ目のポイントは、最後の更新式に含まれる $\hat{m}/(\sqrt{\hat{v}} + \varepsilon)$ が、学習初期には+1または−1に近い値をとる傾向があり、学習後期には0に近い値をとることです。そのため、（5-2）式で w を更新すると、学習初期は大きく w が変更され、学習後期は w が少しずつ変更されるという効果が得られます。

● Adam利用の効果

Adam を利用した場合と利用しなかった場合とで、学習中の損失減少の様子がどう変化するかを表示したのが次ページの図5-5です。4章で用いたXORの学習において隠れ層のニューロン数2で学習に成功した場合を示しています。

図5-5(A)が4章と同じく大きめの学習率 $\eta = 0.2$ を用いた場合の結果です。Adam を用いることで、損失の0への収

束が速くなっていることがわかりますね。**5-1**の**表5-2**（256ページ）に示したように本書の演習ではすべてAdamを用いていましたから、**4章**の演習で現れたのは**図5-5**(A)の「Adamあり」のグラフであったというわけです。

　なお、**4章**でしばしば述べたように、実際の研究などで

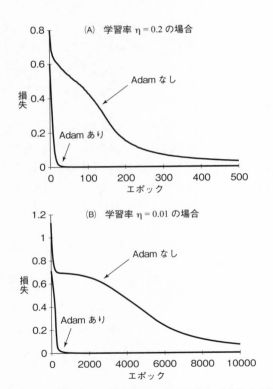

図5-5　Adamの導入により損失関数の収束の速さが変化する様子
(A)学習率 η = 0.2 の場合、(B) η = 0.01 の場合

は小さな学習率を用いないと良い結果が得られないことがあります。$\eta = 0.01$ で同じ実験を行ったのが図5-5(B)です。収束までに必要なエポック数が図5-5(A)に比べて大きくなっていますが、それでもAdamを用いた方がAdamを用いない場合よりも収束が速いことがわかります。

5-4 確率的勾配降下法でミニバッチごとに学習を行う

●確率的勾配降下法はデータ数が大きいときに必須

5-4では、**確率的勾配降下法**（Stochastic Gradient Descent, SGD）と呼ばれる学習法について解説します。この方法は、データ数Nが大きいときに用いられます。本書の例で言えば、$N = 1797$である手書き数字の例で用いるのに適しています。

ディープラーニングではデータ数Nが大きい問題を扱いますから、確率的勾配降下法はほとんどのケースで用いられます。

●バッチ学習とミニバッチ学習

これまでの学習で解説してきたのは、次ページの図5-6(A)のようにN個のデータをすべてネットワークに与えてからパラメータを1回更新する方法でした。N個のデータの集合をバッチといい、バッチ内のデータをすべて与えてからパラメータを変更するこの方法を**バッチ学習**といいます。さらに、すべてのデータから計算した損失Lのパラ

メータ w での偏微分 $\partial L/\partial w$ に基づいて w を変更する方法を最急降下法と呼ぶのでした。これは、**3-8** と **4-6** の演習でも確認しましたね。

それに対し、図5-6(B)のようにデータ全体を少数のデータからなるミニバッチと呼ばれる集合に分割し、そのミニバッチごとにパラメータを更新する手法を**ミニバッチ学習**といいます。図からも読み取れるように、ミニバッチに属するデータは、あらかじめランダムに並べ替えておくものとします。

この方法は、N 個のデータを使うまでに複数回パラメー

(A) バッチ学習

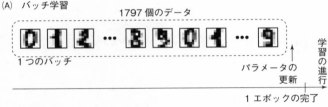

(B) ミニバッチ学習（ランダムに並べ替えたデータでミニバッチを作る）

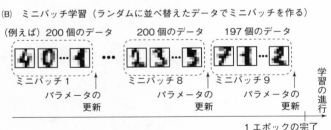

図5-6　(A)データすべてを使ってパラメータを1回更新するバッチ学習
　　　　(B)パラメータを複数のミニバッチに分け、ミニバッチごとにパラメータを更新するミニバッチ学習

タを更新するので、効率の良い方法となっています。特に、最近のディープラーニングではNとして数万以上のデータを用いることが多いため、N回に1回しかパラメータ更新を行わないバッチ学習より効率が良いのです。

それ以外にも、ニューラルネットワークをプログラムで実現する際、一度にN個のデータを使いきるバッチ学習よりも必要なメモリの量が少ないというメリットもあります。

● 確率的勾配降下法で用いられる勾配

たとえば、$N = 1797$である手書き数字を200個のデータを含むミニバッチに分けると9個のミニバッチに分けられます。そのとき1～8番目のミニバッチには200個のデータが、9番目のミニバッチには197個のデータが含まれることになります。これは前ページの図5-6(B)からも読み取れますね。

ミニバッチ内のすべてのデータを与え終えたときにパラメータの更新が行われます。このとき、損失Lをデータ全体から求めるのではなく、ミニバッチ内のデータのみから求めます。すなわち、ミニバッチ内のデータ数をN_bとしたとき、損失Lを次式で求めます。

$$L = \frac{1}{N_b}\sum_{s=1}^{N_b} L_s \qquad \cdots(5\text{-}3)$$

このとき、入力の番号を意味する添え字sは、ミニバッチ内のランダムに選ばれた入力データに対して振られてい

ることに注意してください。なお、N_bは**バッチサイズ**（または**ミニバッチサイズ**）と呼ばれ、学習の性能に影響するハイパーパラメータとなります。

前ページの（5-3）**式**のミニバッチ内で計算された損失に基づいてパラメータを学習する方法を確率的勾配降下法といいます。

なお、274ページの**図5-6**(B)ですべてのデータを一巡したとき、すなわち9個のミニバッチでの学習が終わったときを1エポックとします。1エポックが終わったら、データを再びランダムに並べなおし、新たなミニバッチを作成します。すなわち、ミニバッチはエポックごとにランダムに変わるというわけです。

● **ミニバッチによる確率的勾配降下法を用いるメリット**

確率的勾配降下法には、データ使用の効率が良いという以外に、損失関数の減少を速める可能性があるというメリットがあります。それを解説したのが次ページの**図5-7**です。

ニューラルネットワークの学習は損失関数を減少させるように進むのでした。**図5-7**には、データすべてを用いて計算した損失関数のイメージを太い実線で表しました。

それに対し、（5-3）**式**のようにミニバッチ内のデータのみで求めた損失関数は、図の点線や一点鎖線で表されているように「データ全体の損失関数におおむね似ているが少し異なる」グラフとなるはずです。

例え話で言えば、「データ全体の損失関数」を日本全国

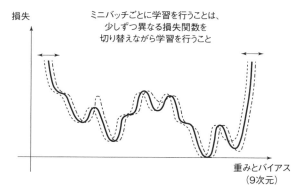

図5-7　ミニバッチごとにパラメータを更新することは、損失関数を切り替えながら学習を行うことに対応する

の小学4年生の身長の統計だとしたときに、「ミニバッチで求めた損失関数」は都道府県ごとに集計した小学4年生の身長の統計のようなものです。「おおむね似ているが少し異なる」ということのイメージがつかめるでしょうか。

　そう考えると、ミニバッチ学習では「パラメータ更新ごとに形状が変化する損失関数の値を減らすように学習が進む」ことがわかります。例え話で言い換えれば「**坂が揺らされた状態で坂を下るように学習が進む**」ということです。

　すると、**4章**の図4-19（233ページ）で解説した「損失関数の減少が遅くなる領域」、すなわち損失関数の傾きが0に近い領域は抜け出しやすくなることが期待されます。これが確率的勾配降下法を用いるもう一つのメリットです。

●バッチサイズについての注意

「坂が揺らされる」効果の大きさは、バッチサイズN_bにより調節できます。N_bが全体のデータ数Nに近いほど275ページの**(5-3)式**の損失関数はデータ全体のものに近づきますので、「坂が揺らされる」効果は小さいと言えます。逆にバッチサイズN_bを小さくすると、**(5-3)式**の損失関数はデータ全体のものから大きく異なるようになりますので、「坂が揺らされる」効果が大きい状態です。

なお、「坂が揺らされる」効果を大きくすると、ニューラルネットワークが局所最適解から抜け出せる可能性もあります。ただし、局所最適解から抜け出せるということは、最適解からも抜け出せるわけですから、学習の性能が悪くなる可能性があります。ですから、あまり「坂が揺らされる」効果を大きくしすぎない方が良いでしょう。バッチサイズで言えば、バッチサイズを小さくしすぎない方が良いということです。

● 確率的勾配降下法を
手書き数字の学習に適用したときの効果

手書き数字の学習において、確率的勾配降下法を用いたときに学習時の損失関数がどのように減少するかを示したのが次ページの**図5-8**です。

グラフは3本表示されています。「Adamなし＋バッチ学習」と「Adamあり＋バッチ学習」は**5-3**のAdamの効果を示したものです。XORの場合と同様に、Adamにより損失関数が速く0に収束していますね。

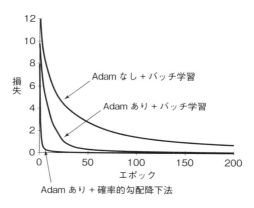

図5-8　確率的勾配降下法を用いた場合の損失関数の収束の様子

　それに対してさらに確率的勾配降下法を適用したグラフが「Adamあり＋確率的勾配降下法」です。バッチサイズは274ページの図5-6に記した通り$N_b = 200$としました。損失関数の収束がさらに速くなっていることがわかります。これは、「ミニバッチを使うことにより、1エポックに複数回パラメータを変更していること」および「損失関数の減少が遅くなる領域を素早く抜け出せること」の2点が影響していると思われます。

　4-8の演習で用いた学習用ファイルではAdamと確率的勾配降下法の両方が使われていました。ただし、4-8では学習進行の速さを重視して学習率を$\eta = 0.01$としていたのに対し、図5-8では$\eta = 0.001$を用いています。

5-5 正則化により過学習を防ぐ

● 過学習

5-5では、ニューラルネットワークの学習後の状態を評価する上で重要な**過学習**という概念について学びます。そして、過学習を防ぐための方法としてここで**正則化**を学びます。

いま、2次元のデータ (x_1, x_2) を2クラスに分類する課題を考えます。たとえば、**図5-9**の白丸と黒丸のデータに対する境界を求める課題です。**図5-9**(A)と**図5-9**(B)ではそのような境界の例が点線で表されています。どちらの境界を選ぶべきでしょうか。

これまで学んだ範囲では、すべてのデータを正しく分類できているわけですからどちらの境界も問題ないと言えます。しかし、直感的には**図5-9**(B)の境界の方が「自然」な境界に思えます。それを評価するにはどうしたらよいでし

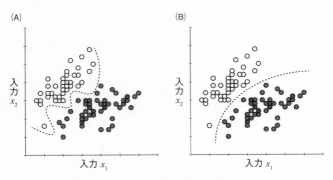

図5-9　分類課題における(A)複雑な境界と(B)単純な境界

ようか。

●**学習データと検証データ**

　図5-9(A)と図5-9(B)のような2つの学習結果を比較する
ため、与えられたデータを図5-10のように学習用のデー
タ（学習データ）と検証用のデータ（検証データ）に分け
ることがしばしば行われます。

　まず、学習データを用いてこれまでのようにニューラル
ネットワークを学習させます。その際、検証データは用い
ません。

　学習終了後、次に検証データを用いて、どの程度の割合
で分類が成功するかをチェックします。検証データは学習
時には用いられなかったわけですから、検証データに対す
る分類の正解率が高い方を良い学習結果と考えるわけで
す。

　学習データと検証データという考え方はこれまでの章に
は登場していませんが、それに最も近いことを行ったの
は、手書き数字の認識の演習です。これらの演習では、

学習データ　　　　　　　　　　　　検証データ
1797 − 200=1597 個　　　　　　　（例えば）200 個

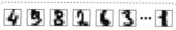　　

学習データをニューラル　　　学習済みのニューラルネット
ネットワークの学習に用い　　ワークに検証データを与えて
る（バッチとする、ミニバッ　性能を検証する
チを作る、など）

図5-10　データを学習データと検証データに分ける

1797個のすべてのデータを学習データとしましたが、皆さんがマウスで描いた数字はもちろん学習データには含まれていません。ですから、皆さんが描いた数字が前ページの図5-10の検証データに該当します。皆さんが描いた数字に対しての認識率が良い学習結果が望ましい、ということです。

● 過学習と汎化能力

多くの場合、280ページの図5-9(A)のように複雑な境界をもつ学習結果は、図5-9(B)の学習結果に比べて検証データに対する正解率が低くなるでしょう。

図5-9(A)のような複雑な境界をもった境界は、学習時間が長くなりパラメータ w の絶対値（負の数のマイナス記号を除いた数）が大きくなり過ぎたときに現れる傾向があります。学習時間が長くなると、学習データに過剰に適応した結果、検証データに対する認識率が悪くなる、という言い方もできます。この現象は**過学習**と呼ばれ、ニューラルネットワークでは避けるべき状態です。

逆に、過学習が起こっておらず検証データに対する正解率が高いニューラルネットワークを、「**汎化能力が高い**」と評価します。**汎化**（Generalization）は「はんか」と読み、「一般化」と同じ意味です。

● 過学習が起こっている様子

さて、先ほど学習時間が長くなったときに過学習が起こる傾向がある、と述べました。その様子を確認してみまし

ょう。

　図5-11は、手書き数字の学習中において、学習データと検証データでの正解率が学習の進行とともにどう変化するかを表示したものです。これまで学習の進行ごとの変化を観察したのは損失関数の値の変化のみでしたが、図5-11では正解率の変化を表示しています。演習では、学習終了後の学習データでの正解率のみがExcelのシート上に表示されていましたね。

　図5-11からわかるように、学習データに対する正解率は500エポック程度で100%に達しています。それとともに検証データに対する正解率も上昇することを期待したいところですが、図5-11では逆に減少しています。これはまさに「学習データに過剰に適応した結果、検証データに対する認識率が悪くなる」という現象を表しています。これを避ける必要があるというわけです。

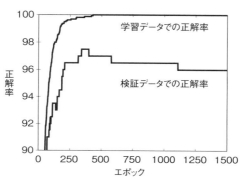

図5-11　過学習が起こると、検証データに対する正解率が小さくなる

なお、図5-11で検証データに対する正解率が滑らかに変化していないのは、検証データのデータ数が200と少なく、正解率が0.5%ずつしか変化しないためです。

● シナプスの重みの絶対値が大きいと何が起こるか

280ページの図5-9(A)のような過学習が起こるのは、パラメータwの絶対値が大きくなったときだと述べました。このことをこれまで学んだ内容に即して確認しておきましょう。

まず2-5の演習において、wの絶対値が大きくなるとニューロンの入力と出力の関係のグラフの変化が急になることを確認しました。81ページの図2-22が該当します。

また、3章の図3-13（121ページ）ではANDに対する損失関数Lを表示し、学習によりLを小さくすると、シナプスの重みがどんどん大きくなっていくことを解説しました。

同様のことを4章のXORの学習でも確認できますので試してみましょう。4章の4-7で実行した演習ファイル04-03-ml-nhn-xor.xlsmをもう一度実行してみましょう。

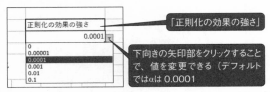

図5-12　演習ファイル04-03-ml-nhn-xor.xlsmでは正則化の効果の強さを調整できる

4-7では解説しなかった前ページの図5-12の「正則化の効果の強さ」という部分を用います。正則化の効果の強さについてはのちに解説しますが、ここでは「wの絶対値が大きくなることを抑える効果の強さα」のことだと思ってください。図5-12に示されているようにデフォルトではαは0.0001です。

まずαを0にして学習を行います。「入出力関係」というシートを見ると、ニューロンの入力と出力の関係のグラフを見ることができるのでした。結果はランダムに毎回異なりますが、典型的には次ページの図5-13(A)のようなグラフが見られます。「wの絶対値が大きくなることを抑える効果」がゼロなので、大きいwに対するグラフです。

一方、αを0.001にして学習を行った結果の例が図5-13(B)です。こちらは、wの絶対値が大きくなることを抑えたグラフです。

図5-13(A)と図5-13(B)は、それぞれ280ページの図5-9(A)と図5-9(B)に対応しています。wの絶対値が大きくなると、複雑に入り組んだ境界が現れうることがイメージできるでしょう。

● 正則化により重みの大きさに制限を設ける

以上の解説により、wの絶対値の大きさを抑える制限を設けることで、データの境界がなだらかになり過学習が抑えられる（汎化能力が上がる）ことが期待されます。重みの絶対値の大きさに制限を設けること**正則化**（Regularization）といいます。

(A) $\alpha = 0$ の場合

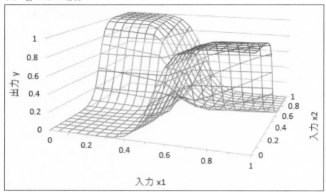

(B) $\alpha = 0.001$ の場合

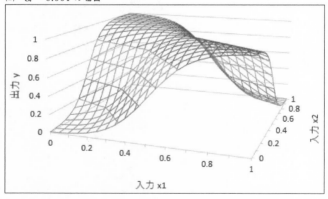

図5-13　正則化の効果の強さを変えたときの入出力関係の変化
　　　　(A) $\alpha = 0$ の場合
　　　　(B) $\alpha = 0.001$ の場合

それを実現する方法はいくつかありますが、本書では損失関数Lに以下のように重みベクトルの大きさの2乗に比例した項を加え、それを新たに損失関数Lとして定義しなおします。αは正の定数です。

$$L + \frac{\alpha}{2}|\boldsymbol{w}|^2 \qquad \cdots(5\text{-}4)$$

ここで、重みベクトル$\boldsymbol{w} = (w_1, w_2, \cdots, w_i, \cdots, w_n)$は、制限を設けたい重みをすべて並べたものとします。本書では、隠れ層および出力層のすべての重みを1つのベクトルとして並べなおしたものとしています。ただし、バイアスはこの中に含めません。

ベクトルの大きさの定義（**2-23**）**式**（64ページ）を用いると、（**5-4**）**式**は次式で書きなおされます。

$$L + \frac{\alpha}{2}(w_1^2 + w_2^2 + \cdots + w_i^2 + \cdots + w_n^2) \qquad \cdots(5\text{-}5)$$

さて、学習において損失関数Lは値0を目指して値が小さくなるのでした。新たに（**5-5**）**式**で定義されたLでもそれは変わりません。（**5-5**）**式**の第1項であるもともとのLと第2項との両方が小さくなるよう学習が進みます。

なお、64ページの（**2-23**）**式**で定義したベクトルの大きさのことをL2ノルムともいいますので、（**5-4**）**式**による正則化をL2正則化と呼ぶこともあります。

● 正則化の意味

　このとき、前ページの（5-5）式には、重みの2乗が含まれていることに注意してください。変数の2乗はグラフで書けば原点に頂点がある放物線なのでした。そのため、（5-5）式のw_i^2 ($i = 1, 2, \cdots, n$)を小さくするということはw_iを0に近づけることを意味します。

　すなわち、（5-5）式の損失関数が目指すものは、「もともとの損失関数Lを0にすること」と「w_i ($i = 1, 2, \cdots, n$)を0にすること」の2つです。しかし、この2つの目標は両立することがありません。なぜなら、w_iがすべて0であればニューロンは入力の情報を出力に全く伝えないからです。

　そのため、実際に実現するパラメータは2つの目標の兼ね合いで決まる「もともとの損失関数Lを小さくするw_iの中で、w_iの2乗の和をなるべく小さくするもの」となります。「w_iの2乗の和をなるべく小さくする」という目標をどれだけ重視するかを決めるのがハイパーパラメータであるαです。これはすでに286ページの図5-13で登場しましたね。αが大きいほど、重みの大きさは抑えられるということです。

● 正則化を行うときのパラメータの更新（重み減衰）

　（5-5）式の損失関数で学習を行うことは難しくありません。269ページの（5-1）式のパラメータ更新式のwをw_iに置き換えた上で、偏微分$\partial L/\partial w_i$を（5-5）式から計算したものに置き換えればよいのです。

　（5-5）式の第2項をw_iで偏微分するとαw_iだけが残るこ

とに注意すると、269ページの（**5-1**）**式**は次式で書きな
おされます。

$$w_i{}' = w_i - \eta\left(\frac{\partial L}{\partial w_i} + \alpha w_i\right) \qquad \cdots(5\text{-}6)$$

これをさらに整理すれば次式のようになります。

$$w_i{}' = (1 - \eta\alpha)w_i - \eta\frac{\partial L}{\partial w_i} \qquad \cdots(5\text{-}7)$$

ここで、学習率 η と正則化の定数 α はどちらも小さな数
が用いられますので、（**5-7**）**式**の $(1-\eta\alpha)$ は負とはなら
ず、1より小さい定数となります。（**5-7**）**式**において、w_i
は1より小さい定数 $(1-\eta\alpha)$ が掛けられていますから値の絶
対値が小さくなります。これを「w_i が0に向かって少し減
衰する」と言い換えることもできます。そして小さくなっ
た w_i から、損失関数を減らすために（**5-7**）**式**の第2項が
引かれるわけです。（**5-7**）**式**で w_i を更新する方法を**重み
減衰**（Weight Decay）といいます。

なお、**5-3** の Adam と正則化を同時に用いる場合、
$\partial L/\partial w_i$ の置き換えは270ページの（**5-2**）**式**の1～2行目
に対して行います。Adam と正則化をより効果的に組み合
わせる AdamW という手法も提案されていますが、詳細は
省略します。

● **正則化の効果（バッチ学習の場合）**
手書き数字の学習における正則化の効果をグラフで確認

しましょう。学習率$\eta = 0.001$でエポック2000まで学習を行い、学習後の正解率を学習データと検証データで計算しました。検証データの個数は200個とし、学習データと検証データの組み合わせを1000回変えて実験した平均値をグラフ化します。

学習の方式をバッチ学習とした際の正則化の効果の強さαをさまざまな値に変えてグラフを描いたのが次ページの**図5-14**(A)です。バッチ学習とは、281ページの**図5-10**の学習データをすべて使って1回パラメータを更新する方式でしたね。

αとして広い範囲の値を用いましたので、横軸はログスケールとしました。αが小さいとき、すなわち正則化の効果が小さいときは検証データでの正解率は97.62%程度ですが、αを大きくするにつれて、検証データでの正解率は$\alpha = 0.01$で98.21%程度まで上昇することがわかります。

これは、正則化により過学習が抑えられたことを意味しています。しかし、αを大きくし過ぎると逆に検証データでの正解率は減少してしまいますので、αの値を注意して調整しなければならないことがわかります。

● **正則化の効果（確率的勾配降下法の場合）**

一方、正則化を確率的勾配降下法とともに用いたときに同様の実験をした結果が**図5-14**(B)です。この場合、**図5-10**の学習データをさらにバッチサイズ200のミニバッチに分けてパラメータを更新します。

図5-14(B)のグラフからわかるように、検証データでの

(A)　バッチ学習の場合

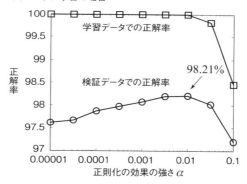

(B)　確率的勾配降下法の場合

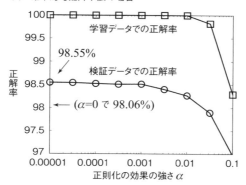

図5-14　正則化の効果
　　　　(A)バッチ学習を用いた場合
　　　　(B)確率的勾配降下法を用いた場合

正解率がαの増加とともに上昇していないように見えます。ただし、データを細かく見ると$\alpha = 0.00001$で検証データでの正解率が98.55％という先程よりも高い値をすでに取っています。さらに、$\alpha = 0$においては検証データでの正解率が98.06％という結果が得られました。αの軸をログスケールにすると$\alpha = 0$に対する値をグラフに表示できないのでその目安の位置を矢印で示しました。

まとめると、確率的勾配降下法を用いた場合も確かに正則化によるαの導入によって検証データでの正解率が上昇しており、過学習が抑えられていることがわかりました。

なお、前ページの図5-14(A)と図5-14(B)を比較すると後者のほうが検証データでの正解率が大きくなっています。これは、確率的勾配降下法自体にも過学習を抑える効果があることを示しています。過学習とは、学習データに適応しすぎて重みが大きくなった状態と考えられるのでした。それに対し、確率的勾配降下法ではニューラルネットワークに与えられるデータをミニバッチとしてランダムに変更することで、過学習を抑えているのだと考えられます。

●いくつかの注意

256ページの**表5-2**に示したように、重みの正則化は**4章**以降の演習で用いられていました。その際、XORと手書き数字のどちらの場合でも$\alpha = 0.0001$という値を用いました。

また、287ページの**(5-4)式**で正則化のために加えた

　項の定義は、書籍や論文により異なることがあります。た
とえば分数の分母の2を省いた次式を用いる場合がありま
す。

$$\alpha |w|^2 \qquad \cdots(5\text{-}8)$$

　あるいは、データの個数N（確率的勾配降下法を用いる
場合はバッチサイズN_b）で割った

$$\frac{\alpha}{2N} |w|^2 \qquad \cdots(5\text{-}9)$$

を用いる場合もあります。

　定義が違うとαの値の意味が異なりますので、注意する
必要があります。たとえば、287ページの（5-4）式での
$\alpha = 1$は（5-8）式では$\alpha = 0.5$に相当します。

5-6　ドロップアウトで過学習を防ぐ

●ランダムにニューロンを無効化するドロップアウト

　5-5で紹介した正則化に続き、過学習を防ぐ別の手法と
して2012年に提案された**ドロップアウト**（Dropout）を
5-6では紹介します。

　ドロップアウトの概念を解説したのが次ページの図
5-15です。ドロップアウトは、隠れ層の出力部に適用さ
れます。学習中、いくつかのニューロンをランダムに選び
無効化するのがドロップアウトの考え方です。ドロップア
ウトは英語で「脱落」という意味で、ニューロンを無効化

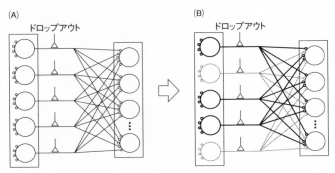

(A) ドロップアウト

(B) ドロップアウト

図5-15 ドロップアウトは隠れ層のニューロンをランダムに無効化する

することをドロップアウトと呼んでいるのです。

　ニューロンが無効化されずに存在する確率をpとします。この隠れ層のニューロン数がn個であるならば、およそnp個のニューロンが無効化されずに残り、$n(1-p)$個のニューロンが無効化されることになります。$p = 1$ならばすべてのニューロンが存在する通常のネットワークです。

　図5-15(B)の灰色のニューロンが無効化されたニューロンです。無効化されたニューロンからの入力はゼロであり、そのニューロンに接続する灰色のシナプスは学習時に変化しません。すなわち、黒色のニューロンのみで出力や誤差が計算されます。

　無効化するニューロンの組み合わせは、学習途中で何度もランダムに変更されます。変更のタイミングの候補としては、「データを1つ与えるごと」や「ミニバッチが切り替わるごと」などがあり得ます。本書で用いる手書き数字

認識の例ではその両方のタイミングを試し、検証用データ
での正解率がより高くなった「データを1つ与えるごと」
の更新を採用しました。

● ドロップアウトは
異なる複数のネットワークを同時に学習させる

　さて、前ページの図5-15(B)のようにいくつかのニュー
ロンを無効化したネットワークは、もとの図5-15(A)のネ
ットワークとは異なるネットワークになっています。さら
に、無効化するニューロンがランダムに選びなおされたと
きはまた別のネットワークになります。このように、異な
る複数のネットワークをランダムに切り替えながら学習を
行うのがドロップアウトです。ただし、異なるネットワー
クは独立ではなく、ニューロンのパラメータを共有してい
る点も重要です。それにより、全体として学習が進むとい
うわけです。

● 学習時と検証時の違い

　ドロップアウトを用いると、学習時においてはあるニュ
ーロンは確率pで存在することが次ページの図5-16(A)
に示されています。

　一方、学習が終了し検証データで検証を行うときはすべ
てのニューロンが存在するものとします。学習時には一部
のニューロンが無効化された状態で学習が進んでいたので
すから、すべてのニューロンが有効化されると次の層のニ
ューロンが受け取る入力の数が学習時より多くなります。

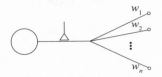 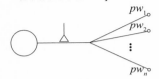

(A) 学習時にこのニューロンが
存在する確率は p

w_1
w_2
$\vdots$
w_n

(B) 検証時にこのニューロンは
必ず存在し、重みに p をかける

pw_1
pw_2
$\vdots$
pw_n

図5-16　検証時にはすべてのニューロンが存在するが、重みに p を
かけて補正する必要がある

その分を補正するため、検証時は**図5-16**(B)のように重み
に p をかけて用いるようにします。

● ドロップアウトの効果

　ランダムにニューロンを無効化することにより、ドロッ
プアウトには過学習を抑える効果があることが知られてい
ます。

　それ以外にも、ドロップアウトを導入した隠れ層のニ
ューロンのうち、正の値を出力するニューロンの個数が少
なくなる「スパース性」が層に生じることも知られていま
す。

　このように、「一部のニューロンを無効化する」という
単純な方法で良い効果が得られるため、ドロップアウトは
現在多くの研究で使われています。

● 手書き数字の分類におけるドロップアウトの効果

　それでは、手書き数字の分類を行うネットワークでドロ

ップアウトの効果を確認してみましょう。**5-4、5-5**と同様に、学習用データでの2000エポックでの学習終了後、学習データと検証データとで正解率を計算します。それらの値がニューロンの存在確率pの変化とともにどう変化するかをグラフ化します。学習データと検証データの組み合わせをランダムに変えて1000回実験を行い、結果を平均しました。

まず、ドロップアウトのみで過学習がどれだけ抑えられるかを確認するため、正則化を無効化し（$\alpha = 0$）、バッチ学習で学習した結果を次ページの**図5-17**(A)に示しました。ドロップアウトを導入しない$p = 1$からpを減らしていくと、広い範囲で検証データでの正解率が上昇することがわかります。最大値は、$p = 0.6$における98.33%でした。これはドロップアウトが過学習を抑えたことによる効果だと考えられます。

一方、正則化を導入し（$\alpha = 0.0001$）、バッチサイズ200の確率的勾配降下法で学習するネットワークにドロップアウトを導入した結果を示したのが**図5-17**(B)です。正則化と確率的勾配降下法自体に過学習を抑える効果があるため、**図5-17**(A)に比べるとわずかな上昇ではありますが、ドロップアウトの効果が見られます。最大値は$p = 0.8$における98.66%でした。

現在のニューラルネットワークでは、**図5-17**(B)のようにさまざまな手法を組み合わせて性能向上を目指すことが主流となっています。

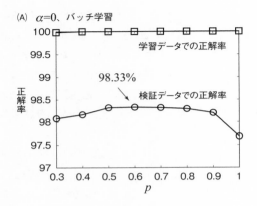

(A) $\alpha=0$、バッチ学習

学習データでの正解率

98.33%

検証データでの正解率

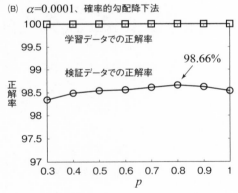

(B) $\alpha=0.0001$、確率的勾配降下法

学習データでの正解率

検証データでの正解率

98.66%

図5-17　ドロップアウトの効果
　　　(A)正則化を無効にし（$\alpha = 0$）、バッチ学習で学習した場合
　　　(B)正則化を有効にし（$\alpha = 0.0001$）、確率的勾配降下法で学
　　　　習した場合

● **まとめ**

　本章では、ディープラーニングのブームが始まるきっかけとなるオートエンコーダの学習についてまず紹介しました。さらに、現在のニューラルネットワークの学習時に多く使われる手法を4つ紹介し、それらの導入が学習にどのような効果をもたらすかを解説しました。

　その際、学習用のデータにネットワークが適応しすぎて検証用のデータに対する正解率が下がる過学習という現象を紹介しました。過学習を抑え検証用のデータに対する正解率を上げること、すなわち汎化能力を高めることがニューラルネットワークの学習では重要なのです。

　ディープラーニングでは隠れ層の数を増やすことで汎化能力を高めることが求められます。そのために、学習の効率を高めるさまざまな手法が現在でも提案されています。

　その一方で、これまでとは異なるネットワークの構造を利用することで、認識率や汎化能力を高める方法も存在します。特に、本書でこれまで扱ってきた手書き数字認識のような画像認識の分野では、「畳み込みニューラルネットワーク」という構造のネットワークがデファクトスタンダードとして使われています。

　次章では、この畳み込みニューラルネットワークを本章で紹介した手法と組み合わせて用い、性能が上がることを体験します。

6章

画像認識に適した
畳み込みニューラルネットワーク

6-1 本章で学ぶ内容

●畳み込みニューラルネットワークとは何か

　本章では畳み込みニューラルネットワーク（Convolutional Neural Network, CNN）と呼ばれるタイプのニューラルネットワークについて学び、本書の総仕上げとします。

　CNNは、現在のニューラルネットワークおよびディープラーニングにおいて、画像を認識対象とする応用例では必ずと言って良いほど用いられる手法です。本書で学んできた例で言えば、手書き数字の分類に適した手法です。

　ほとんどの場合、2つ以上の隠れ層を用いますのでCNNはDNNの一つのバリエーションとみなすことができます。

　これまでの章で、隠れ層の数を増やしたからといって直ちに認識の性能が上がるわけではないということを繰り返し述べてきましたが、CNNと**5章**で紹介した手法とを組み合わせることでこれまでのネットワークの認識性能を簡単に超えられることを、演習を交えながら学んでいきます。

●畳み込みニューラルネットワークの特徴

CNNの特徴は、**2章**の図2-1（37ページ）や**5章**の図5-1（259ページ）で解説した、生体が視覚情報処理を行うときに用いる手法をニューラルネットワークに取り入れていることです。

生体の視覚情報処理の初期段階では、図5-1(B)で解説したように、画像中の明るい点や暗い点のように簡単な特徴がニューロンにより抽出されるのでした。このとき、1つのニューロンは視覚情報（映像）の全体を見るのではなく、そのニューロンの**受容野**と呼ばれる狭い範囲の映像のみを入力として受け取ります。すなわち、1つのニューロンは映像の全体ではなく**局所的**な範囲に含まれる特徴を抽出するのです。

そして処理が進むと（ネットワークの層が深くなると）、図5-1(B)に示されているように、明暗の境界線や丸や円弧というように徐々に複雑な特徴が抽出されるようになります。

このように、入力に近い層のニューロンは画像の局所的な範囲から簡単な特徴を抽出し、層が深くなるにつれて複雑な特徴を抽出できるようになる、という性質をネットワークに組み込んだものがCNNです。

●畳み込みニューラルネットワークの歴史

最初期のCNNは、1980年に日本の福島邦彦氏が提案した**ネオコグニトロン**というニューラルネットワークです。これは第二次ニューラルネットワークブーム以前、すなわ

ち**4章**で学んだ誤差逆伝播法が登場する前の提案であった
ため、CNNのようなブームには至りませんでした。

　第二次ニューラルネットワークブームの時期には、1989
年にルカン（LeCun）らがCNNの学習の仕組みとして誤
差逆伝播法を適用し、数字認識に応用して成功を収めまし
た。

　ルカンらは第二次ニューラルネットワークブーム終了後
の1998年にも規模を大きくしたCNNを提案しています。
ただしそれはサイズが32×32程度の小さな画像に対して
であり、より解像度の高い大きな画像に対してCNNを適
用することは当時のコンピュータの能力ではできませんで
した。

　そして現在のディープラーニングブームにおいては、
CNNを高速に処理するハードウェアの登場や学習を効率
よく進める手法などの出現に伴い、CNNが広く使われる
ようになっています。ディープラーニングをコンピュータ
で実行する際、コンピュータのグラフィックを描画するた
めに用いられる回路であるGPUを用いると計算が高速に
なると聞いたことがある方も多いでしょう。

　本章では、これまで通り手書き数字の分類のような規模
の小さい例題を通して、CNNの本質を学びます。それに
より、規模の大きいCNNに対しても見通しが立てられる
ようになります。

●本章で新たに用いる数学

　本章で新たに用いる数学の手法はありません。これまで

学んだ知識を組み合わせることで理解ができます。

6-2 畳み込みニューラルネットワークの解説(1)　畳み込み層とは

● 手書き数字の分類に適用するCNN

CNNを解説する際、一般論からはじめるよりは具体的な例をもとに解説したほうが容易に理解できます。そこで、本書でこれまで取り扱ってきた手書き数字の分類を行うCNNを最初に提示し、その解説を通じてCNNを理解する、という方針をとります。

手書き数字の分類に用いるためのCNNが次ページの図6-1です。**5章**までに紹介してきたニューラルネットワークと同様に、ニューロンの個数や層の数などは自由に変更して構わないのですが、わかりやすさを重視して、それらの値を決めた上で解説するということです。

図6-1のうち、これまでの知識で理解できるのは左端の「入力画像」と右側に2つある「**全結合層**」です。まずこれらから解説しましょう。

● 入力画像

まず、左端にある入力画像について解説しましょう。手書き数字の分類を考えていますから、**3章**の図3-3（93ページ）で解説したように幅と高さがそれぞれ8ピクセルの画像が入力となるのでした。

そのため、図6-1の入力画像の下部の「出力サイズ」に

「8x8x1」と記されています。

　なお、「入力」画像であるにもかかわらず「出力」サイズと書かれている理由は、「この入力画像からの出力が次の層（図の畳み込み層1）への入力となる」という解釈でこのネットワークをとらえているためです。

　ところで、入力画像の出力サイズの「x1」とは何を表すでしょうか。これは、入力画像がモノクロ画像であることを示しています。もし、手書き数字の分類で入力される画像がカラー画像だった場合、画像は赤成分の画像、緑成分の画像、青成分の画像の３枚に分かれるため入力画像の出力サイズは「8x8x3」となります。モノクロの場合は白黒成分（明るさ成分）しかないため「8x8x1」となるのです。

　なお、図6-1では入力の図がベクトルの形ではなく幅と

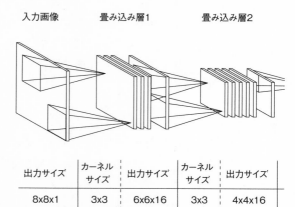

出力サイズ	カーネルサイズ	出力サイズ	カーネルサイズ	出力サイズ
8x8x1	3x3	6x6x16	3x3	4x4x16

図6-1
本書で用いる畳み込みニューラルネットワーク（CNN）

304

高さのある2次元の画像として表示されていることにも注意してください。畳み込みニューラルネットワークは画像の認識に特化したニューラルネットワークのため、入力をそのまま画像として取り扱うのです。なお、入力および重みベクトルを2次元の画像とみなすことは**3章**の図3-34や図3-35（166ページ）、**4章**の図4-30（252ページ）でも行ってきましたので、これまでの章の内容を理解していればそれほど違和感はないはずです。

● 全結合層

　入力画像以外では、図6-1の右側にある2つの全結合層もここまでの知識で理解できます。右から2番目の全結合層は、これまで取り扱ってきた隠れ層と同じです。

　全結合層のニューロンは、前の層のニューロンすべてと

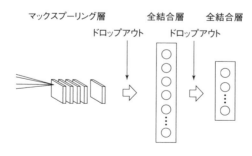

プール サイズ	出力サイズ	出力サイズ	出力サイズ
2x2	2x2x16	128	10

結合をもちます。そのため、「全結合層」と呼ばれるのです。ですから、**5章**までに登場した隠れ層および出力層はすべて全結合層であったと言えます（ドロップアウトにより学習中に存在しないニューロンがある場合も全結合層と呼びます）。逆に言えば、「全結合層」ではない層、たとえば304〜305ページの**図6-1**にある2つの畳み込み層は「前の層のニューロンすべてと結合をもつわけではない」という特徴があります。それは後に学ぶことになります。

　図6-1下部の表に、2つの全結合層の出力サイズがそれぞれ128および10と書かれていますので、これらの層のニューロン数はそれぞれ128個および10個であることがわかります。

　1つ目の全結合層はこれまでの隠れ層と同じ働きをしますので、**4章**の**図4-23**（241ページ）で学んだように「少なすぎると分類の性能が低い場合がある」ことから128個と定めています。

　2つ目の全結合層はこれまでの出力層と同じです。0から9の数字を分類する必要がありますので、10個のニューロンを用意して**4章**の**図4-3**（191ページ）で学んだようにソフトマックス関数を用いて入力された数字が0から9のどれに分類されたかを出力します。

　なお、**図6-1**を見ると1つ目の全結合層の手前と後ろに**5章5-6**で学んだドロップアウトが導入されていることもわかります。このドロップアウトが重要な役割を果たすことを**6-4**で確認することになるでしょう。

● 新たに畳み込み層を追加してDNNを構成

さて、以上を踏まえて304〜305ページの**図6-1**を見直すと、**5章**までのニューラルネットワークの入力層と隠れ層の間に、「畳み込み層」に代表される新たな構造が挟み込まれていることがわかります。「畳み込み層」を新たな隠れ層と解釈すれば、**図6-1**には畳み込み層が2つと全結合層が1つで合計3つの隠れ層がありますのでDNNとみなせます。なお、マックスプーリング層にはニューロンは存在しませんのここでは隠れ層とみなしませんでした。

なお、新たに挟み込まれた層を無視すれば、**図6-1**はこれまで同様「数字を入力すると出力として分類結果である0から9のどれかが出力されるニューラルネットワーク」であることにも注意してください。

● 畳み込み層とはなにか

一般に、畳み込み層を1つ以上もつニューラルネットワークを畳み込みニューラルネットワークと呼びます。ですから、CNNを理解するためにはこの畳み込み層とはなにかを理解しなければなりません。

畳み込み層とは、手前にある層の**局所的な特徴抽出**を行う層です。**図6-1**の「畳み込み層1」を例に解説していきましょう。

畳み込み層1は、幅と高さがそれぞれ6ピクセルである画像のように作られており、その各ピクセルに1つずつニューロンが配置されています。そして、そのニューロンはその手前の層の画像の3×3の領域から計9個の入力を受

け取ります。そのこと示したのが**図6-2**(A)です。手前の層にある3×3の領域のことを、この畳み込み層のカーネルといいます。

このとき、入力画像と畳み込み層1とカーネルを入力画像側から見ると、**図6-2**(B)のようになります。畳み込み層1の右下隅にあるニューロンのカーネルは、入力画像の右下隅にあることがわかります。この関係図から、畳み込み層1のサイズは、入力画像のサイズに比べて横方向と縦方向にそれぞれ2ピクセルずつ小さくなければいけないことがわかります。

なお、入力画像と畳み込み層1のサイズを等しくする方法もあります。その場合、カーネルが入力画像からはみ出しますのでその対応をする必要がありますが、その方法の解説はここでは省略します。

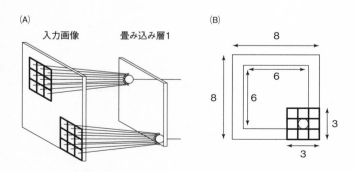

図6-2　(A)入力画像と畳み込み層1とカーネルの関係
　　　　(B)入力画像と畳み込み層1とカーネルとを入力画像側から
　　　　　 見た様子

● **畳み込み層による局所的な特徴抽出**

　そのように入力画像と畳み込み層1を結合するとして、畳み込み層1のニューロンにはどのような能力があるでしょうか。それを示したのが図6-3です。図6-3(A)に示したように、このニューロンには手前の層の9ピクセルに結合した9つのシナプスが存在します。それらの配分により、このニューロンの能力が決まります。なお、バイアスも1つ存在しますが、図と以下の解説では省略しています。

　たとえば、図6-3(B)のように3×3の領域のうち中央だけが＋、その他は－の重みをもつニューロンを考えましょう。このとき、このニューロンは、図6-3(B)下のように、周囲が白く、中央だけが黒い3×3の画像を与えられたときに強く反応し、大きな値を出力します。ただし、これまでのように、白よりも黒の方がピクセルの値が大きいことを前提としています。

　同様に、図6-3(C)や図6-3(D)のような重みに対しては

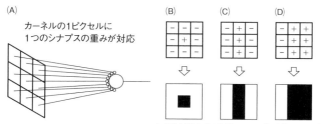

図6-3　(A)カーネルとシナプス重みの関係
　　　　(B)、(C)、(D)カーネルの値により強く反応する画像が異なることを示した図

「周囲が白い黒い縦棒」や「白と黒の縦の境界（エッジ）」などに反応するニューロンが現れます。

　これは、**3章**の**図3-35**（166ページ）で学んだこととほぼ同じことを言っています。重みベクトルと似た入力が与えられたときにニューロンの出力が大きくなるのでしたね。畳み込み層のニューロンが**図3-35**と異なるのは、入力全体ではなく、入力画像の3×3の領域という局所的な部分のみの特徴抽出を行うということです。そのため、**図3-35**における特徴は「抽象的な点の集まり」となりがちだったのに対し、畳み込み層のニューロンは入力における縦棒や明暗のエッジなど、図形的な特徴に反応するニューロンができる可能性が高まります。

　これは、生体の視覚情報処理を解説した259ページの**図5-1**における神経節細胞や、LGN、V1におけるニューロンの反応に類似していることがわかるでしょう。言い換えれば、畳み込み層はこれらの生体のニューロンに似た反応を示すように構成されているということです。

●畳み込み層内の１つの層で
シナプスの重みとバイアスは共有される

　畳み込み層が入力画像の局所的な特徴抽出を行うと知ったうえで、さらに重要な注意を述べておきます。

　まず、308ページの**図6-2(A)**には畳み込み層1にある２つのニューロンが図示されています。この２つのニューロンにはそれぞれ９つの重みと１つのバイアスがありますが、これらのパラメータは畳み込み層1内の１つの層にあ

る36個のニューロンで共通であるとします。つまり、この層内の36個のニューロンは、すべて同じ局所的な特徴を抽出する能力があるということです。

　各ニューロンで異なるのは、特徴を抽出する位置です。各ニューロンが入力の縦棒に反応するニューロンであるとした場合、この1枚の層は、入力画像のどこに縦棒が存在するかを検出する層ということになります。この1枚の層のことを**特徴マップ**といいます。

● 複数の特徴マップ

　図6-1（304〜305ページ）の「畳み込み層1」の下部に、この層の出力が6x6x16であると記されています。「6x6」は308ページの図6-2(B)に記されたように畳み込み層1の1枚の特徴マップのニューロン数を表しています。「x16」の部分は、「畳み込み層1」には16枚の特徴マップが存在することが記されています。1枚の特徴マップで1つの特徴を抽出するのですから、畳み込み層1では16種類の特徴を抽出することができるということです。

　特徴マップの枚数が特徴の個数に対応するのは、**4章**で学んだ多層ニューラルネットワークでは隠れ層のニューロンの個数が抽出できる特徴の個数であるのと類似していますね。畳み込み層が多層ニューラルネットワークの隠れ層と異なるのは、「抽出する特徴が局所的なものであること」および「抽出する特徴の存在する位置を保持していること」の2点です。

　もちろん、特徴マップの枚数が多いほどたくさんの特徴

が抽出できるわけですから、分類の性能が上がる可能性が高いと言えます。実際、そのことは**6-4**で確認できます。しかし、本書では演習の計算時間を短くすることを重視し、16枚という少なめの特徴マップを用います。

●学習による特徴マップの獲得

ここまで、特徴マップでは重みの配分に応じて、縦棒や明暗のエッジなどの図形的な特徴を抽出できると述べてきました。

では実際には、どのような特徴を抽出する特徴マップが存在するのでしょうか。それは、学習により自動的に獲得されます。すなわち、学習時に提示される入力画像の特徴に応じて、図形的な特徴を抽出する特徴マップが自動的に獲得されるということです。

●「畳み込み」という言葉の意味

ここで「畳み込み（Convolution）」という言葉の意味を解説しておきましょう。「畳み込み」とは、1枚の特徴マップを作るために行われる演算の数学的な名称です。

入力画像の9ピクセルにカーネルの9個の重みを掛け合わせてから合計することで特徴マップの1点を計算するのでした。その演算を特徴マップの点すべてに対して行うことを、「畳み込み」と呼ぶのです。「入力画像にカーネルを畳み込んで特徴マップを得る」という言い方もします。

「畳み込み」はディープラーニングだけで用いられるわけではなく、制御工学や画像処理などさまざまな分野で用い

られています。「畳み込み」という演算に馴染んでいる方が比較的多いと思われるのが画像処理です。皆さんの中に、コンピュータで画像処理ソフトウェアを用い、そのうえで「ぼかし」や「輪郭強調」という効果を使用したことがある方もいると思います。それらの処理は画像処理では「フィルタの適用」と呼ばれ、その際に用いられる演算が畳み込みなのです。

　すでに述べたように、ディープラーニングで「畳み込み」を用いる際は「局所的な特徴を抽出する」目的で使われるのでした。「畳み込み」という用語よりもこの目的や役割の方が重要ですので、6-3の演習で身につけましょう。

6-3　演習　入力画像と結合した畳み込み層の働き

● この演習の目的とファイルの実行

　図6-1（304〜305ページ）のCNNの解説の途中ですが、ここで入力画像と畳み込み層によりどのような特徴マップが生成されるかをイメージするための演習を行います。畳み込み層の働きをイメージできないと、CNNの本質の理解にはつながらないためです。

　図6-1のうち、入力画像と畳み込み層1のみを抜き出した構成を考えます。図6-3(B)〜(D)（309ページ）のシナプスの重みの正負をマウスで設定したとき、どのような特徴マップが計算されるかを演習で確認してみましょう。

　それでは、演習ファイル06-01-cnn-convolution.xlsmを

実行しましょう。Excelを用いている方は1Excelフォルダに含まれるファイルを、LibreOfficeを用いている方は2Libreフォルダに含まれるファイルを用いるのでした。また、Raspberry Pi用のLibreOfficeをお使いの方は3Libre-RasPiフォルダに格納されたファイルを用いてください。起動時に出るマクロについての警告に対しては**2-5**と同様に適切なボタンをクリックしてマクロを有効にしてください。そうしないと本書のExcelプログラムは実行できません。

●画面の解説

起動すると図**6-4**のような画面が現れます。左上の3×

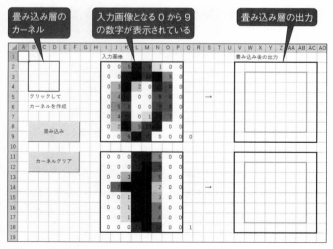

図6-4　06-01-cnn-convolution.xlsm の実行画面

3の枠は、畳み込み層のカーネルを表します。その3×3の領域内をマウスでクリックすると、クリックした位置の重みが正に設定されます。

中央のI列からP列には、入力画像となる0から9の数字が表示されています。本来1797枚ある入力画像のうち10枚だけを表示しています。

これら10個の入力画像に対して、それぞれカーネルを適用した結果がV列からAC列に表示されます。これがこの畳み込み層の出力となります。なお、入力画像が8×8ピクセルであるのに対して、畳み込み層の出力は6×6ピクセルでしたので、その範囲が灰色の枠で示されていることに注意してください。

● 演習の実行

では、実際に動作を確認してみましょう。たとえば、次ページの図6-5のようにカーネルを斜めに横切るように3点をクリックし正の値を設定してみましょう。そして、「畳み込み」ボタンをクリックすることで、それぞれの入力に対する畳み込み層の出力が右に表示されます。

このとき、カーネル上の重みは、「正の値の合計が1、負の値の合計が-1」になるように調整されます。すなわち図6-5の場合、カーネル上の黒い点（重みが正の点）は3つありますので、それぞれ1/3（0.333…）という重みをもたせています。カーネル上の白い点（重みが負の点）は6つありますので、それぞれ-1/6（-0.1666…）という値がセットされています。-0.1666…は画面上では四捨五入

されて-0.2と表示されていますが、Excel内部では-0.1666
…という値が保持されています。また、本演習ではバイア
スを0と設定しています。

　なお、「正の値の合計が1、負の値の合計が-1」という
制約は、本演習で表示される結果がわかりやすくなるよう
与えているだけです。実際のCNNの学習においてはその
ような制約はありませんのでご注意ください。

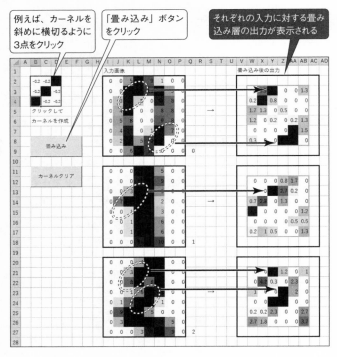

図6-5　斜めのカーネルに対する出力とその解釈

● 畳み込み層の出力（特徴マップ）の解説

さて、前ページの図6-5のように斜めの領域に正の値が分布したカーネルを用いた場合の畳み込み層の出力がV列からAC列の領域に示されています。これまでのように「大きな値は黒、小さな値は白」という表示方法をとっています。値の大きさに基づく出力の色付けは、0から9の数字に対する出力すべてで同じ基準を用いています。

図6-5のカーネルは「斜めの線が白い領域に囲われている」という特徴を抽出するものとなっています。そのため、図6-5の範囲では0、1、2の手書き数字において、それに似た斜めの特徴の位置がV列からAC列の出力で黒く塗られていることがわかります。入力画像のうち強く反応している領域をI列からP列の入力画像に点線で表示しましたので、入力と出力を比較すると、畳み込み層の出力の意味がわかりやすいでしょう。

5章までと異なるのは、カーネルで表現された特徴が入力画像のどの位置に存在するかが出力（特徴マップ）に反映されていることです。他の数字に対する出力も良く見て畳み込み層の役割を理解しましょう。

● もう一つの例で確認

斜めのカーネルに対する出力の意味を理解できたら、「カーネルクリア」ボタンをクリックしてカーネルを消去し、別のカーネルも試してみましょう。

たとえば、次ページの図6-6のように「中央が白で周囲が黒」というカーネルをマウスクリックにより作成し、

「**畳み込み**」ボタンをクリックした結果が**図6-6**です。

このカーネルが抽出する特徴は「黒い点に囲まれた白い点が1点」というものですが、その特徴そのものではなく「白い点が複数の黒い点に隣接している」点でも出力が大きめに（色が黒めに）表示されます。

たとえば、**図6-6**右上では数字「0」の線の内部がやや黒めに塗られています。これは、白い点が複数の黒い点と隣接しておりニューロンの出力が大きめの値となったため

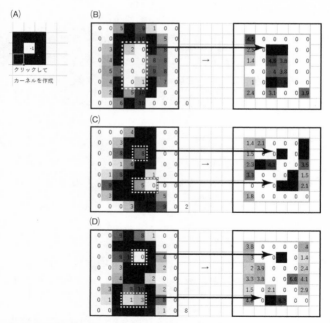

図6-6 黒い点に囲われた白い点からなるカーネルに対する出力とその解釈

です。同様のことが前ページの図6-6右中の数字「2」に対する特徴マップにも言えます。

「黒い点に囲まれた白い点が1点」というカーネルの特徴に最も近い特徴に反応しているのが図6-6右下の数字「8」に対する特徴マップです。数字「8」の上部には「黒い点に囲まれた白い点が1点」という特徴そのものの点があり、その点でほかの数字と比べて最も大きな値が出力されています。

● まとめ

　畳み込み層のカーネルをマウスのクリックにより設定し、それを入力画像に与えた結果どのような出力（特徴マップ）が得られるかを体験していただきました。「カーネルのもつ特徴が入力画像のどの位置に存在するか」が特徴マップに反映されることがわかったと思います。

　なお、この演習ではカーネルを自分で自由に設定することができました。実際の畳み込み層ではカーネルは学習により自動的に決まりますので、どのようなカーネルが生成されるかは学習が終了するまでわかりません。その点は**5章**までの多層ニューラルネットワークと変わりません。

　どのようなカーネルが生成されるかは**6-5**の演習で確認することになるでしょう。

6-4 畳み込みニューラルネットワークの解説(2) 畳み込みニューラルネットワークの完成とその学習

● 2つ目の畳み込み層

6-3の演習により、入力画像に直接接続された畳み込み層の役割を理解することができました。引き続き、畳み込み層の出力を入力とする畳み込み層、すなわち、304〜305ページの図6-1で「畳み込み層2」と記されている層の解説を行います。

畳み込み層2の出力（特徴マップ）のサイズは、畳み込み層1の出力サイズ6×6から縦横2ピクセルずつ減って4×4です。この考え方は308ページの図6-2(B)と同じです。

一方、畳み込み層2への入力は、図6-1で畳み込み層1の出力サイズが6x6x16と記されているように、サイズ6×6の特徴マップ16枚です。このように入力の枚数が多いことが畳み込み層1と大きく異なる点です。

畳み込み層2のカーネルサイズを畳み込み層1と同じく3×3とするとき、畳み込み層2のニューロンは次ページの図6-7に示したように3x3x16個、すなわち144個の入力を受け取って計算を行います。すなわち、1つのニューロン当たりシナプスの数は144個ということです。この144個の重みと1個のバイアスを、1枚の特徴マップ内で共有します。

それにより、畳み込み層2は畳み込み層1が抽出した特徴を複数組み合わせたより複雑な特徴を検出できるようになります。259ページの図5-1で言えば、V2やV4の反応

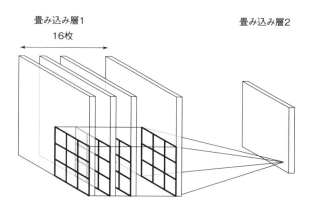

図6-7　畳み込み層2は16枚の特徴マップを入力とする

のように、「特徴を組み合わせてできる特徴」の検出ができるわけです。このように、畳み込み層が複数あればより複雑な特徴に反応するニューロンができる、と考えるのがCNNの特徴です。

　ただし、畳み込み層2の出力（特徴マップ）をそのまま見ても、それが入力画像のどの特徴を抽出した結果なのかわからないという問題があります。その理由は、畳み込み層2が畳み込み層1とは異なり入力画像と直接結合しているわけではないことと、重みの個数が144個と多いことです。

　そのため、畳み込み層2の出力（特徴マップ）の意味の解説は**6-5**の演習で具体例を見ながら行うことにします。

● マックスプーリング層

　最後に、**図6-1**（304〜305ページ）のマックスプーリング（Maxpooling）層の解説を行いましょう。それにより、**図6-1**のネットワークをすべて解説したことになります。

　マックスプーリング層の目的を一言で言えば、入力された画像のサイズを縮小することです。これまで、入力層、畳み込み層1、畳み込み層2と処理が進むにつれ、画像や特徴マップのサイズは、8×8、6×6、4×4と小さくなってきました。しかしこれは308ページの**図6-2**(B)に記したように画像の端を切り取ったことに対応し、サイズを縮小したわけではありません。縮小を実際に行うのがマックスプーリング層です。

　画像を縮小する方法にはいくつかのバリエーションがありますが、ここで取り扱うマックスプーリング層では、入力のピクセルの値のうち最大値をとるという方法をとります。

　次ページの**図6-8**を用いて解説しましょう。まず、入力（畳み込み層2の出力）をサイズ2×2の領域4つに分割し、それぞれを1ピクセルに縮小します。分割された2×2の領域のことをプールサイズと呼びます。**図6-8**(A)の下部に記されているように、分割された各領域における最大値をマックスプーリング層に残します。

　この処理により、畳み込み層2のサイズ4×4の特徴マップが、マックスプーリング層では2×2に縮小されます。

　なお、畳み込み層2の16枚の特徴マップに対して1つず

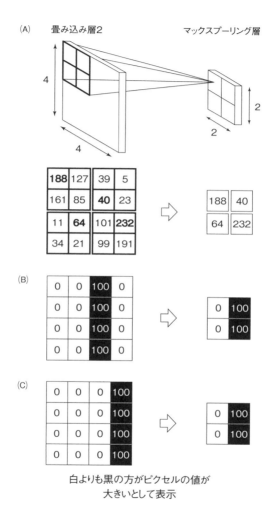

白よりも黒の方がピクセルの値が
大きいとして表示

図6-8 (A)マックスプーリングによる画像の縮小
(B)、(C)マックスプーリングはずれに強い

つマックスプーリングを行いますので、マックスプーリング層には2×2の領域が16枚あることになります。

●マックスプーリング層は位置のずれに強い

　マックスプーリング層の特徴は、入力が少しずれていても同じ結果となる場合があることです。それを示したのが前ページの図6-8(B)と図6-8(C)です。これらの図には1ピクセルずれた位置にある縦棒が示されており、それらがマックスプーリング層では同じ結果となることを示しています。

　これを言い換えると、マックスプーリング層により入力画像のずれに強い分類器が得られる、ということです。

　なお、ここで取り扱うマックスプーリング層は、1ピクセルのずれしか許容できません。それは、画像の縮小時に用いる分割領域が2×2であるからです。より広い領域をとれば、ずれにより強いマックスプーリング層となります。ただし、今の課題では入力画像のサイズが8×8と小さいので、大きな分割領域をとることはできません。

　現実的な分類課題では、より大きな入力画像を設定し、畳み込み層とマックスプーリング層を何段にも組み合わせることでよりずれに強いCNNを作ることが行われています。

　最後に、304〜305ページの図6-1にあるようにマックスプーリング層の2×2×16個の出力、すなわち64個の出力を全結合層の128個のニューロンへ入力して図6-1のCNNが完成します。

●CNNの学習についての注意

　6-1にて、CNNの学習には**4章**で学んだ誤差逆伝播法が使えることに触れました。そのため、CNNの学習についてはここで簡単に触れるにとどめます。

　6-2でCNNの畳み込み層1の解説を用いる際、数式を用いませんでした。同様に、CNNの学習を式で直接書くことはしません。その理由は、CNNの演算や学習を式で表そうとすると、1つの文字にたくさんの添え字をつけねばならなくなるからです。

　たとえば、304〜305ページの図6-1には畳み込み層1の出力サイズは6x6x16であると書かれていることに着目してください。これは、畳み込み層1の中でニューロンの存在位置を指定するためには、「ニューロンの横方向の位置」、「ニューロンの縦方向の位置」、「ニューロンは何番目の特徴マップに位置するか」の3つの情報（添え字）が必要になることを意味します。これに加え、「何番目のデータかを表す添え字s」や「何番目の畳み込み層を表すかの数字」も必要になりますので、ニューロンの状態を表す文字を定義するためには5つの添え字が必要になります。

　一般に、数式は概念を正確かつわかりやすく伝える目的のために用いられますが、添え字が5つついた文字を使った数式による解説はむしろわかりにくいものとなるでしょう。ですから、**6-2**の畳み込み層1の解説には数式を用いなかったのです。

　そのため、CNNの学習の解説についても直接数式を書くことはせず、「**4章**の多層ニューラルネットワークで用

いた数式をCNNに適用するために解釈しなおす」という
方針で解説します。

● CNNにおける誤差逆伝播法

4章で学んだように、多層ニューラルネットワークの学
習を行うには、まず次式に基づき誤差を逆伝播する必要が
あるのでした。

$$\delta_{sj}^{(h)} = \sum_{m=1}^{n_o} \delta_{sm} w_{mj} f'\left(u_{sj}^{(h)}\right) \qquad \cdots (6\text{-}1)$$

この式は、**(4-28) 式**を再掲したものです。この式を理
解するために必要な図が次ページの**図6-9**(A)です。図
6-9(A)は**図4-9**のうち必要な文字と解説だけを残して再掲
したものです。**(6-1) 式**は「隠れ層のニューロンjの誤差
$\delta_{sj}^{(h)}$は出力層の誤差δ_{sm}を逆伝播することで計算できる」こ
とを表す式なのでした。

この**(6-1) 式**をCNNに適用するための解釈に必要な
図が**図6-9**(B)です。この図は「畳み込み層1のニューロン
の誤差を計算するために畳み込み層2のどのニューロンか
ら誤差を逆伝播すべきか」を解説した図です。

多層ニューラルネットワークの場合、隠れ層のニューロ
ンjは、出力層のすべてのニューロンと結びついていまし
た。そのためこの隠れ層は全結合層と呼ばれるのでした。

一方CNNの場合、畳み込み層1のニューロンは畳み込
み層2のニューロンすべてと結びついているわけではあり
ません。畳み込み層2のカーネルの働きを注意深く考える

と、畳み込み層1のニューロンは**図6-9**(B)のように畳み込み層2のカーネルと同じ範囲のニューロン（具体的には3×3×16=144個のニューロン）としか結合していません。これらのニューロンからのみ誤差が逆伝播するのです。

前ページの**(6-1)式**で言えば、mについての和を表すΣの対象が**図6-9**(B)に記した144個のニューロンになることを意味します。

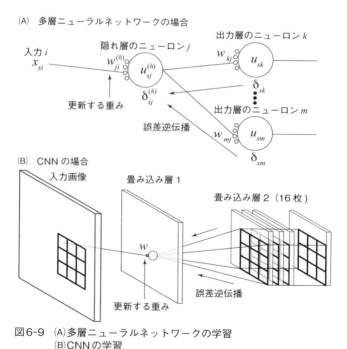

図6-9　(A)多層ニューラルネットワークの学習
　　　　(B)CNNの学習

これがCNNにおける誤差逆伝播です。

● CNNにおける損失関数の偏微分

誤差を用いると、多層ニューラルネットワークでは損失関数の偏微分を次式のように計算することができるのでした。

$$\frac{\partial L_s}{\partial w_{ji}^{(h)}} = \delta_{sj}^{(h)} x_{si} \qquad \cdots(6\text{-}2)$$

（6-2）式は（4-13）式を再掲したものです。（6-2）式を多層ニューラルネットワーク上で解釈するときも前ページの図6-9(A)を使うことができます。損失関数の重み$w_{ji}^{(h)}$での偏微分には、入力iと隠れ層のニューロンjの誤差が必要なのでした。

この式をCNNに適用する際には注意が必要です。多層ニューラルネットワークでは、重み$w_{ji}^{(h)}$で結合するニューロンの組み合わせは「入力iと隠れ層のニューロンj」の1通りしかありませんでした。

それに対してCNNでは、図6-9(B)のようにカーネルの左上の重みwで結合しているニューロンの組は一組だけではありません。なぜかと言うと、カーネル上の重みは畳み込み層1の1つの特徴マップの中で共有されているからです。

それを解説するための図が次ページの図6-10です。入力画像、カーネル、畳み込み層1を入力画像側から見た図になっています。カーネルの左上の位置の重みで結合する

畳み込み層1のニューロンの位置を丸で記しました。カーネルが入力画像の四隅に位置する場合を図示しています。この図を見ますと、「カーネルの左上の位置（図中太い正方形）の重みで入力画像と結合する畳み込み層1のニューロン」は、「畳み込み層1の1つの特徴マップ内のすべてのニューロン」であることがわかります。

　以上を踏まえると、前ページの**（6-2）式**をCNNに適用するためには

$$\frac{\partial L_s}{\partial w} = \sum \delta_{sj}^{(h)} x_{si} \qquad \cdots (6\text{-}3)$$

のように式に和記号を追加して書きなおしたうえで、「wは畳み込み層1のカーネルの1つの重みを表し、iとjはwで結合する入力と畳み込み層のニューロンの組み合わせ、和記号$\sum$はそのiとjの組み合わせについての和」と解釈すればよいことになります。その結果、**図6-10**に示されているようにその和には畳み込み層1の1つの特徴マップのすべてのニューロンが含まれることになります。

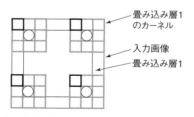

図6-10　畳み込み層1上のニューロンはカーネルのすべての位置と結合をもつ

● CNNの性能

さて、このように誤差逆伝播法で学習したCNNの性能をグラフで表示しましょう。**5章**で行ったように、1797枚の手書き数字を1597枚の学習データと200枚の検証データに分け、学習データで学習を行い検証データで性能評価を行います。学習データと検証データの組み合わせをランダムに変えて1000回実験を行って平均をとります。さらに、正則化の強さ$\alpha = 0.0001$、学習率$\eta = 0.001$を用い、バッチサイズ200の確率的勾配降下法で学習させました。

図6-1（304〜305ページ）のCNNには2ヵ所にドロップアウトが存在します。2ヵ所のドロップアウトにおいて、ニューロンがドロップアウトされずに残る確率をともにpとします。pの値を1から小さくしていくと、ドロップアウトの働きが徐々に大きくなるのでした。これは、多層ニューラルネットワークでのドロップアウトの効果を示す実験（298ページの**図5-17**）のCNN版を行うことを意味します。

結果を表示したグラフが次ページの**図6-11**です。**図6-11**のグラフは2種類の実験の結果を同時に描いています。畳み込み層1と畳み込み層2の特徴マップの枚数をともに16とした場合と、それらをともに32とした場合です。グラフではそれらをそれぞれ「$N_{map1} = N_{map2} = 16$」および「$N_{map1} = N_{map2} = 32$」と表示しています。

まず$p = 1$の場合、すなわちネットワークにドロップアウトを適用しない場合の値を見てみましょう。検証データでの正解率は、$N_{map1} = N_{map2} = 16$の場合98.45%、

$N_{map1} = N_{map2} = 32$ の場合97.73％となっており、多層ニューラルネットワークにおける最大の性能（図5-17での98.66％）に及んでいないことがわかります。これは、「隠れ層を増やしただけでは性能が向上するとは限らない」ことを示しています。

　p を1から小さくし、ドロップアウトの効果を強めていくと、検証データの正解率は上昇していきます。$N_{map1} = N_{map2} = 16$ の場合と $N_{map1} = N_{map2} = 32$ の場合における最大の正解率はそれぞれ99.10％および99.26％となっており、多層ニューラルネットワークの最大値から大きく向上していることがわかります。これがCNNを導入した効果です。

　$N_{map1} = N_{map2} = 16$ の場合よりも $N_{map1} = N_{map2} = 32$ の場合の方

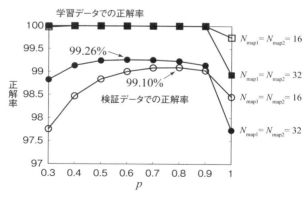

図6-11　畳み込みニューラルネットワークの性能。ドロップアウトでニューロンが存在する確率pに対する正解率の変化を示した。2つの畳み込み層の特徴マップの数を16とした場合と32とした場合について調べた

が検証データの正解率が大きくなっているのは、**6-2**で述べたように、表現できる特徴の数が増えるからであると考えられます。

　グラフには記していませんが、特徴マップの数をさらに増やすと（たとえば$N_{map1} = N_{map2} = 64$）もう少し正解率は大きくなります。しかし、その性能向上の割合は徐々に小さくなっていきます。それは多層ニューラルネットワークの場合（241ページの図4-23）と同様です。

6-5 演習 畳み込みニューラルネットワークを用いた手書き数字の分類

●演習ファイルについての注意

　6-5ではCNNで手書き数字の認識を行う演習を行います。**4章**の多層ニューラルネットワークの演習と同様、学習用のファイルと推論用のファイルがあります。ここでは両方のファイルの解説を行います。

　ただし、**4章**と同様、学習用のファイルで学習を実行するとかなりの時間Excelは操作不能になります。具体的には、Windows版Excelで約1日、macOS版Excelでその数倍、LibreOfficeではその数十倍の時間がかかることがあり得ます。ですから、**学習用ファイルは開くだけで学習を実行しない**ことをお勧めします。学習用ファイルについては解説を読むだけでも十分です。

　なお、「**自動での学習**」ボタンを押してしまったものの、学習を強制終了したくなった場合はその方法を**付録B**

に記しましたので必要に応じて参照してください。

● 学習用ファイルの解説

さて、学習用ファイルの解説から始めます。学習用ファイル 06-02-cnn-learn.xlsm を開いてください。Excelを用いている方は1Excelフォルダに含まれるファイルを、LibreOffice を用いている方は2Libre フォルダに含まれるファイルを用いるのでした。また、Raspberry Pi用のLibreOffice をお使いの方は3Libre-RasPi フォルダに格納されたファイルを用いてください。起動時に出るマクロについての警告に対しては**2-5**と同様に適切なボタンをクリックしてマクロを有効にしてください。そうしないと本書の Excel プログラムは実行できません。

ファイルを開いたときの画面を示したのが次ページの**図6-12**です。学習後の状態があらかじめ記入されています。これは、筆者があらかじめほぼ丸一日かけて計算を実行した結果を示しています。

300エポックの学習を行った結果、損失が速やかに減少していることがわかります。

なお、学習時には正則化の強さ $\alpha = 0.0001$、学習率 $\eta = 0.001$、ドロップアウトでのニューロンの存在確率 $p = 0.8$ を用いました。検証用データを分けず1797枚のデータすべてを学習に用い、バッチサイズ200の確率的勾配降下法を用いて学習を行いました。

また、**6-2**で述べたように、この演習では畳み込み層1と畳み込み層2の特徴マップの枚数は、計算時間の短縮の

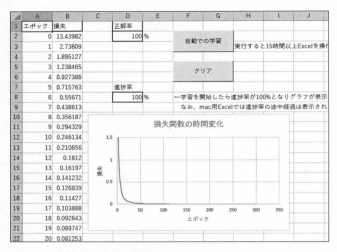

図6-12　学習用ファイル06-02-cnn-learn.xlsm を開いたときの画面

ためにともに16枚としましたのでご了承ください。

　すでに述べたように、「**自動での学習**」ボタンをクリックするとWindowsではほぼ1日Excelを操作できなくなるので、通常はクリックしないようにしてください。

●学習用ファイルの「重み」シートの解説

　学習終了後の重みは学習用ファイル06-02-cnn-learn.xlsmの「重み」シートに次ページの図6-13のように記入されています。「重み」シート上の重みの並び方を理解する必要はありませんが、興味のある方のために記しておきます。興味のない方は次の項目「**●学習用ファイルの『重みの画像表示』シートの解説**」に進んでいただいても構い

ません。

　まず、畳み込み層1の1つの特徴マップには3×3×1=9個の重みと1個のバイアスが存在します。その10個のパラメータが、**図6-13**のようにシートの1行目から4行目までに記されています。特徴マップは16枚あるのでしたから、畳み込み層1のパラメータはシートの4×16=64行目までの範囲に記入されています。

　シートの65行目からは、畳み込み層2のパラメータが記入されています。畳み込み層2の1枚の特徴マップには3×3×16=144個の重みと1個のバイアスが存在します。それらがシートの65行目から113行目の計49行（3×16＋1）に記されています。畳み込み層2の特徴マップは16枚存在しますから、畳み込み層2のパラメータは65行目から848行目の計784行（49×16）にわたって記されています。

　849行目から976行目までの128行には、全結合層である隠れ層の128個のニューロンのパラメータが記され、977行目から986行目までの10行には全結合である出力層の10個のニューロンのパラメータが記されています。これらの並び方は**4章**の演習ファイルと同じです。

	A	B	C	D
1	-0.42674	-0.21574	0.52945	
2	0.055473	0.559338	-0.27076	
3	0.440282	-0.15051	-0.49966	
4	0.038679			
5	0.170818	0.317059	-0.34907	
6	-0.39133	0.358544	-0.26734	
7	0.557832	-0.28306	-0.03023	
8	0.156917			
9	-0.23585	0.505656	-0.19336	
10	-0.60544	-0.19683	0.446141	
11	0.564896	-0.2794	0.038083	
12	-0.18017			

図6-13
「重み」シートに記録された
学習済みの重み

●学習用ファイルの「重みの画像表示」シートの解説

学習終了後の重みは学習用ファイル06-02-cnn-learn.xlsmの「重みの画像表示」シートにも記されています。図6-14のように画像状に表示するためのシートです。

A列からC列には、畳み込み層1の3×3のカーネル上の重みが16枚の特徴マップぶん縦に並べて記されています。畳み込み層1のカーネルは**6-3**の演習で取り扱ったカーネルと同じ意味をもちますので、比較的意味をつかみやすいものです。

一方、K列より右側には、畳み込み層2の3×3×16のカーネル上の重みが16枚の特徴マップぶん並べて表示されています。これらは、重みの数が多いことや入力画像に直接結合していないことなどから、理解しにくいものとなっています。

そのため、学習後の畳み込み層1や畳み込み層2の役割は、次の推論の演習においてまとめて理解することにし、ここでは学習後の重みが書き込まれていることの確認にと

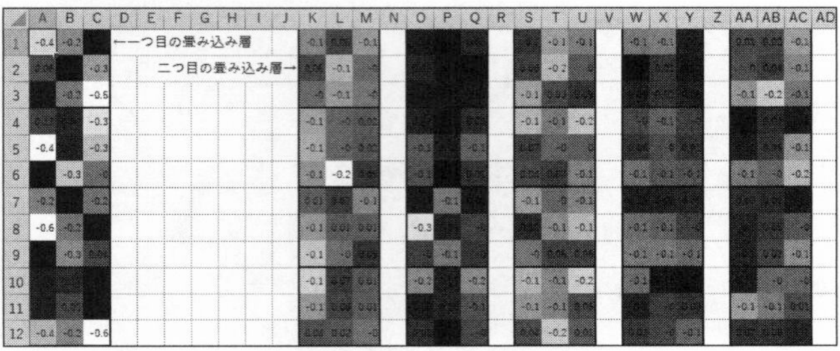

図6-14 「重みの画像表示」シートに記された重み

どめることにします。

● 推論用ファイルの解説

さて、学習用ファイル06-02-cnn-learn.xlsmを開いている方は、ここでファイルを閉じてください。

次に推論用のファイルを実行しましょう。これまで通り、皆さんがマウスで描いた数字を分類した結果を表示するファイルです。推論用ファイル06-03-cnn-recognition.xlsmを開いたときの画面を示したのが次ページの図6-15です。これまで通りマクロの有効化を忘れないようにしましょう。

画面の見た目も数字を描く方法も、**3章**および**4章**の演習ファイルと変わりありません。マウスで何度か点を打つようにして数字を描き、「認識」ボタンをクリックしましょう。やはりこれまで通り次ページの図6-16のように分類結果が表示されます。これまでと異なるのは、手書き数字の分類を行うために、内部でCNNを用いていることです。

学習用ファイルと同様、推論用ファイルにも「**重み**」シートがあります。このシートには、学習用ファイルの学習後の「**重み**」シートの内容をすべて貼り付けてあります。それにより、学習用ファイルで得た学習結果で分類が行えるというわけです。

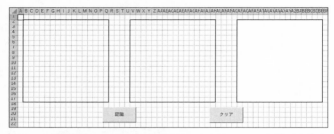

図6-15　推論用ファイル06-03-cnn-recognition.xlsm を開いたとき
　　　　の画面

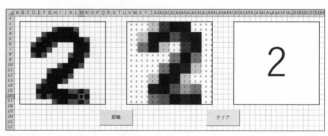

図6-16　数字「2」を認識させた様子

● 推論用ファイルの「畳み込み層の出力」シートの解説

～畳み込み層1

　さて、推論用ファイル06-03-cnn-recognition.xlsm で皆さ
んに行っていただきたいのは、手書き数字認識における
CNNの働きを理解することです。そのためには「畳み込
み層の出力」シートを用います。

　数字「2」の認識を行った後の状態で「畳み込み層の出
力」シートを見ると次ページの図6-17のように表示され

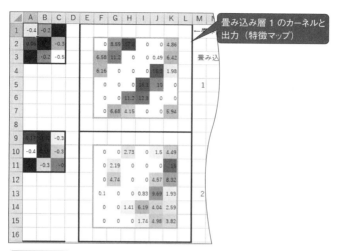

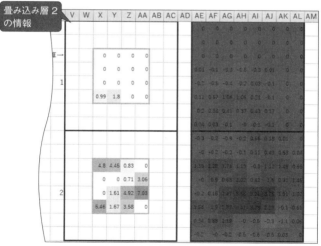

図6-17 数字「2」を認識させたときの「畳み込み層の出力」シートの画面

ています。左半分のＡ列からＬ列には畳み込み層1のカーネルと出力（特徴マップ）が、右半分のＶ列からAL列には畳み込み層2の情報が記されています。まずは畳み込み層1の役割の理解から始めましょう。

　Ａ列からＣ列の3列には畳み込み層1のカーネルが表示されています。縦にスクロールすると、計16個のカーネルが存在することがわかります。このカーネルには、学習用ファイル06-02-cnn-learn.xlsmの学習により筆者が得た結果が表示されています。ですから、学習をしなおさない限り常に同じ結果が現れます。

　そのカーネルを、皆さんがマウスで書いた数字に畳み込んだ結果、すなわち特徴マップがその横のＥ列からＬ列に表示されています。

　結果を理解しやすい1番目と10番目のカーネルの特徴マップを抜き出して表示したものが次ページの図6-18(A)と図6-18(C)です。316ページの図6-5と318ページの図6-6に似た斜めと四角のカーネルが現れています。それらの右隣の図6-18(B)と図6-18(D)には、「認識」シートに描いた数字を並べて表示しました。

　ここで確認していただきたいのは、カーネルを畳み込んでできた特徴マップに、入力画像の特徴が反映されていることです。その特徴の位置を図6-18(B)と図6-18(D)上に点線で示しました。これらは6-3の演習で316ページの図6-5や318ページの図6-6を用いて解説した内容とほぼ同じであることがわかります。

　すなわち、6-3の演習で確認した畳み込み層1の働き

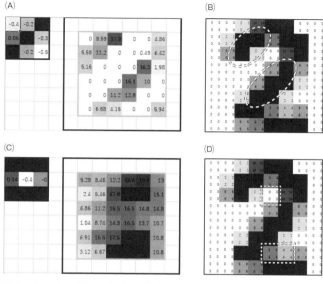

図6-18　(A)、(C)数字「2」に対する畳み込み層1のカーネルと特徴
マップ
(B)、(D)その解釈

を、実際のCNNでも確認できたことになります。

● 推論用ファイルの「畳み込み層の出力」シートの解説
　〜畳み込み層2

　ここで新たに学ぶのは、畳み込み層2の役割の理解で
す。畳み込み層2の役割を言葉で表すと「畳み込み層1の
16枚の特徴マップを入力として受け取り、その特徴を組
み合わせた特徴を抽出すること」と表現できます。それを
演習で実際に確認します。

畳み込み層2の出力（16枚の特徴マップ）は**図6-17**（339ページ）のV列からAC列に表示されています。畳み込み層1の出力はE列からL列の中の6×6の領域でしたが、畳み込み層2の出力は4×4の領域であることが、灰色の四角形で示されています。

　16個ある4×4の領域は、畳み込み層1の出力と同様、入力画像の何らかの特徴を反映しているはずです。ただし、畳み込み層2への入力は入力画像ではなく畳み込み層1の特徴マップですので、4×4の濃淡のパターンが入力画像の何を反映しているのかわかりにくくなっています。

● 逆畳み込みによる畳み込み層2の理解
～数字「2」の場合

　それを理解するためには、畳み込み層2の出力を入力画像へ**逆畳み込み**するのが効果的です。シート上では、それを「入力への逆算」と表現しています。逆畳み込みを言葉で表現すると、「畳み込み層2の出力を生むような入力画像を、計算により求める」ということになります。

　得られた計算結果を元に解説した方がわかりやすいでしょう。まずV列からAC列の特徴マップにおいて強い反応を示している部分、すなわち、濃い黒で塗られた部分を探します。たとえば、次ページの**図6-19**(A)のように15番目の特徴マップに強い反応が見られます。その右側に記されているのが、逆畳み込みにより得られた「その特徴マップを生む入力画像」です。

　これが何を表すかは、**図6-19**(B)のように「認識」シー

トに描かれた数字と比較するとわかりやすいでしょう。図6-19(A)の左側の特徴マップは、数字「2」の下半分の部分に反応していることがわかります。

　図6-19には示していませんが、16番目の特徴マップも、数字「2」の下半分に強く反応します。

　ファイルをスクロールし、他の特徴マップとその逆畳み込み画像を調べると、数字の「2」の上半分に反応している特徴マップは多くないことがわかります。図6-19(C)、(D)に示したように13番目の特徴マップは数字「2」の上半分に反応していると言えなくもありませんが、その反応は弱いことがわかるでしょう。

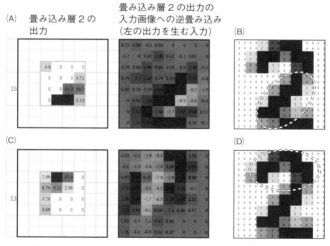

図6-19　(A)、(C)数字「2」に対する畳み込み層2の出力と、それを入力画像へ逆畳み込みした結果
　　　　(B)、(D)その解釈

数字「2」の下半分に反応する特徴マップが多く、上半分に反応する特徴マップが少ないのは、数字「2」の下半分の図形が、数字「2」にしか存在しない形状をしているからではないか、と推測できます。数字「2」の上半分の図形は、数字「3」に類似しているため反応する特徴マップが少ないのではないか、と考えるわけです。

　このように、数字「2」のみに存在する形状に強く反応する特徴マップがあると、認識の性能が上がることが期待されます。

● 逆畳み込みによる畳み込み層2の理解
〜数字「8」の場合

　その推測が正しいか確かめるため、他の数字でも認識を試してみましょう。たとえば、図6-20のように数字「8」を認識してみます。

　数字「8」のうち他の数字にない特徴は、中央で斜めの線が交差して「×」の形状を作る部分です。ですから、

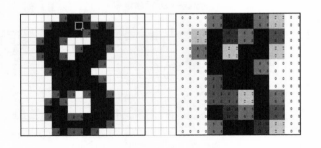

図6-20　数字「8」の認識

「×」の形状に反応する特徴マップが存在するかに着目します。すると図6-21のように、特徴マップ6、10、15が、数字「8」の「×」状の部分、すなわち中央の交差部や右肩下がり、右肩上がりの線分に強く反応していることがわかります。

　他の特徴マップを見ると、数字「8」のその他の部分に

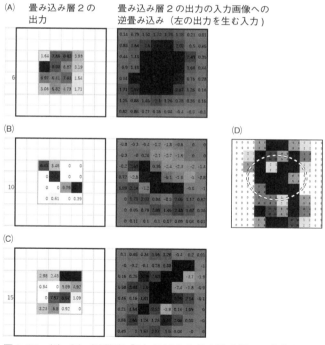

図6-21　(A)、(B)、(C)数字「8」に対する畳み込み層2の出力と、それを入力画像へ逆畳み込みした結果
　　　　(D)その解釈

強く反応する特徴マップは多くないことがわかります。その理由は、数字「8」の上半分の丸は数字「9」にも存在しますし、下半分の丸は数字「6」にも存在するからだと考えられます。

● 逆畳み込みによる畳み込み層2の理解〜まとめ

畳み込み層2の出力を入力画像へ逆畳み込みすることにより、畳み込み層2の働きを理解しました。畳み込み層1による特徴マップを入力とすることで、数字のより複雑な特徴に反応する特徴マップが形成されていることがわかりました。

その際、「他の数字にはない特徴」に反応する特徴マップが優先して作られている、と予想されることも確認しました。そのような特徴マップは、意図的に作られたわけではなく学習によって自動的に生成されたことにも注意してください。もちろん、畳み込み層1も同様です。

なお、「他の数字にはない特徴」に反応する特徴マップが優先して作られたのは、畳み込み層1と畳み込み層2の特徴マップの数がどちらも16と少ないことが原因であると考えられます。特徴マップの数が十分に多い場合、「他の数字と重複した特徴」に反応する特徴マップも形成される可能性があります。

● まとめ

CNNを手書き数字の認識に適用し、畳み込み層が数字の認識にどう関わるかを体験していただきました。多層ニ

ューラルネットワークとは異なり、数字の図形的な特徴に反応することを意図したネットワークになっていることがおわかりいただけたと思います。

　本章の最後に、CNNが現在のディープラーニングのブームにおいてどのように使われているかを示す例を紹介します。

6-6 畳み込みニューラルネットワークを用いた物体検出 〜R-CNNとYOLO

●物体検出とはなにか

　本章の最後に、CNNがより現実的な課題に応用されている例として「**物体検出**」を紹介します。

　物体検出の例を示したのが次ページの図6-22です。上側に、筆者の机の上に置かれたキーボード、カッター、カップ、マウスが示されています。物体検出を行うニューラルネットワークにこの写真を与えると図6-22の下側の図のような結果が得られます。

　机上のそれぞれの物体に「キーボード」、「ナイフ」、「カップ」、「マウス」という名称が与えられ、さらにそれぞれの物体の位置と大きさを示す枠が描画されています。後に解説しますが、カッターに「ナイフ」という名称が与えられたのは、学習データにカッターが含まれていなかったからです。

　図6-22を見ると、物体検出は普段我々が視覚情報から外界を認識する際に当たり前のように行っていることだと

物体の名称（キーボード、ナイフ、カップ、マウス）と
その位置・大きさなどが得られる

図6-22　1枚の画像に対して物体検出を行った様子

いうことがわかるでしょう。しかし、それをコンピュータに行わせることは難しいことなのです。なぜなら、1つのカップであっても見る角度によってさまざまな形をとりますし、またカップの種類によって色やデザイン、模様などはさまざまなものがあるからです。それらすべてを「カップ」という概念として認識することはコンピュータには難しそうだということは想像していただけるでしょう。

●CNNと物体検出の違い

現在、その物体検出にCNNを適用するさまざまな手法が提案されています。ここでは、そのうちR-CNNとYOLOという手法を紹介します。

まず、CNNと物体検出の違いをまとめたのが図6-23です。

(A) CNN

 ⇒ 数字「2」に対応するニューロンが1を出力 ⇒ ⇒ 「カップ」に対応するニューロンが1を出力

(B) 物体認識

 ⇒

名称	枠中心座標 (x,y)	枠の (幅, 高さ)
キーボード	(524, 172)	(658, 328)
マウス	(837, 542)	(289, 258)
ナイフ	(285, 556)	(98, 380)
カップ	(542, 452)	(292, 289)

図6-23　CNNと物体検出の違い
　　　　(A)CNNは1枚の画像の属するクラスを出力する
　　　　(B)物体認識では物体の属するクラスに加え、物体の位置と大きさも出力する必要がある

これまで解説してきたように、CNNにある画像を与えると、その画像の属するクラスが出力されます。前ページの図6-23(A)に示したように、手書き数字の「2」を与えれば、「2」に対応するクラス番号が出力層のニューロンによりわかります。復習すれば、191ページの図4-3に示されているように3番目のニューロンが1を出力するときに、入力は数字「2」だと判定するのでした。2番目のニューロンではない理由は、手書き数字を「0」から順番に数えているからでしたね。

　同様に、図6-23(A)に示されているようにカップの写真をCNNに与えることで、カップを表すクラスに対応したニューロンが1を出力します。もちろん、CNNを学習させる際の学習データにカップを含む画像が含まれている必要があります。このとき、学習データにさまざまな角度、色、デザイン、模様のカップを含めておくことでCNNはさまざまな種類のカップを認識できるようになることはこれまで学んだ内容から想像できるでしょう。

　一方、物体検出では物体の位置と大きさも出力する必要があります。物体の位置と大きさを示す方法はさまざまありますが、348ページの図6-22では物体の存在する位置に物体を囲う長方形の枠を示しています。枠を指定するためには、図6-23(B)に示したようにたとえば「枠の中心を表す座標(x, y)」と「枠の大きさを表す(幅, 高さ)」のように4つの数字を出力する必要があります。これが、CNNと物体検出の大きな違いです。

● 物体検出の手法1 ～ R-CNN

　この物体検出を行う手法の一つに、2014年に提案されたR-CNN（Regions with CNN features、CNNの特徴をもった領域）があります。まずこの手法を解説します。

　図6-24のように、R-CNNでは物体が存在しそうな領域（Region）の候補を2000個程度あらかじめ画像処理により決めます。この候補の中に、物体を囲む領域が含まれることを前提とします。そして、候補の領域一つ一つに対し画像のサイズをCNNの入力に適した形に変更してから、CNNに入力します。その結果、物体が含まれる可能性が高い領域のみを残す、というのがR-CNNの考え方です。

　R-CNNに含まれるCNNは、畳み込み層が5つ、全結合層は2つのネットワークです。このネットワークは、2012年に提案されたAlexNetというCNNから出力層を除いた構成となっています。1章で画像認識のコンテストで圧勝したと述べたのはこのAlexNetです。

　CNNがいくつの物体を認識できるかは、学習に用いる

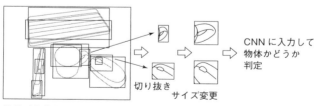

CNNに入力して
物体かどうか
判定

切り抜き
サイズ変更

物体が存在する可能性がある
領域の候補を2000個程度画
像処理で決める

領域の候補一つ一つに対して
画像サイズを変更してCNNへ

図6-24　R-CNNが行う処理の流れ

データによって決まります。通常、このような研究では手法どうしの性能を比較しやすいよう、異なる研究グループであっても同じ学習用データを用います。R-CNNではPascal VOCというデータの集合（データセット）を用いており、学習用データは5011枚、認識できる物体の種類は20種類です。この物体20種類に、物体を含まない背景画像を切り出して加えた21種類のクラスを分類します。

なお、R-CNNで用いるCNNの出力は、ソフトマックス関数を用いた通常の出力層ではなく機械学習の手法であるサポートベクトルマシンと呼ばれる分類器に加えられますが、詳細の解説は省略します。

●学習データの少なさを補う転移学習

ところで、規模の大きなCNNを学習させるためには、Pascal VOCからなる学習データの数は十分多いとは言えません。そこで、より多くのデータを含む学習用データをCNNにあらかじめ学習させておき、その結果を初期状態として用い、あらためてPascal VOCからなる学習データで学習を行わせています。

このとき、別の学習用データで最初に行う学習は事前学習と呼ばれ、学習データを切り替えて学習を継続することはファインチューニングと呼ばれます。このように、あらかじめ学習済みのネットワークを別のデータの学習に用いることを**転移学習**といいます。

事前学習とファインチューニングは**5-2**で紹介した「オートエンコーダで得られた学習結果をDNNの学習の

初期値として用いる」という場合にも登場しました。オートエンコーダの場合は「教師なし学習であるオートエンコーダの結果を、教師あり学習に活用する」ケースだったのに対し、ここで解説した転移学習は「より大きなデータに対する教師あり学習の結果を、別の教師あり学習に活用する」ケースであるという違いがあります。

R-CNNの場合、1000クラス、120万枚の画像を含むILSVRC（ImageNet Large Scale Visual Recognition Competition）2012というコンテスト用の学習用データセットが事前学習に用いられました。これは2012年にAlexNetで用いられたデータセットと同じものです。

転移学習がうまく機能するのは、120万枚の画像の学習から、さまざまな特徴に反応する畳み込み層のカーネルがあらかじめ形成されていたからと言えます。「120万枚の画像」を認識するために必要な特徴が、「Pascal VOCからなる学習データ」を認識するために再利用できることを暗に仮定していることになります。

● 物体検出の手法2 〜 YOLO

物体検出にCNNを用いるもう一つの手法として、2016年に提案されたYOLO（You Only Look Once、一度だけ見る）を紹介します。

You only look onceとは、英語表現You only live once（一度だけの人生）をもじったものと考えられます。「一度だけ見る」とは、YOLOでは推論時にCNNの計算を一度だけ実行すれば良いことを示しています。それに対して、

R-CNNは2000個程度の領域に対してそれぞれCNNの計算を実行するのでしたから、「2000回見る」必要があったわけです。

　なお、執筆時点でYOLOにはバージョン1からバージョン3が存在します。348ページの**図6-22**の下側はインターネット上で公開されているYOLOバージョン3のプログラムを筆者が実行した結果です。YOLOのプログラムは、ある程度の知識がある方ならば実行できますので、ディープラーニングの解説書やウェブサイトなどで似たような画像を見たことがあるという方も多いかもしれません。

　本書のサポートサイトでは、このYOLOのプログラムを実行する方法を解説します。ただし、YOLOのプログラムの実行には「PCの空き領域の確保（9GB程度）」、「ディープラーニング用ツールのPCへのインストール」、「コマンド（文字による命令）によるツール追加」、「コマンドによるプログラムの条件指定」などの知識が必須であり、PCやプログラミング技術に精通した方でないと難しい面があります。自信がない方は無理に実行せずに書籍による解説のみで済ませることをお勧めします。

● **YOLOのバージョン**

　YOLOで用いるCNNは、24個の畳み込み層と2個の全結合層をもちます。用いるデータセットは、YOLOバージョン1ではR-CNNと同じくクラス数20のPascal VOCです。その性能を向上させたYOLOバージョン2ではImageNetとCOCOという2つのデータセットを組み合わ

せてクラス数9000の認識が可能なYOLO9000というネットワークを実装しています。そして、348ページの図6-22で用いたYOLOバージョン3ではCOCOというデータセットを用いてクラス数80の認識が可能です。

　なお、YOLOバージョン3を用いた図6-22でカッターを「ナイフ」と認識しているのは「カッター」のデータがデータセットに含まれていなかったからです。

●YOLOのグリッドと物体を囲む枠

　YOLOを理解するために重要なのは、349ページの図6-23(B)に記した「物体の位置と大きさを示す枠」を決める方法の理解です。これらの枠をR-CNNのように事前に推定するのではなく、CNNそのものに決定させるのがYOLOの本質です。

　それを実現するため、YOLOで用いるCNNの出力層は、通常のCNNの出力層と大きく異なります。それを解説したのが次ページの図6-25です。

　図6-25(A)の左図に示したように、まず入力画像を等しい大きさのグリッドに区切ります。図では入力画像が7×7のグリッドに区切られています。そして、それぞれのグリッドに物体を囲む枠が存在すると仮定します。図6-25(A)にはそのような「枠」を4つだけ記しましたが、そのような枠をすべてのグリッドで仮定するのです。これがR-CNNで言えば「物体が存在する領域の候補」となります。図6-25(A)に示されているように、実際には物体が存在しないグリッドにも枠の候補が割り当てられます。

さらに、この枠は各グリッドに1つ以上存在するものとします。たとえば、YOLOバージョン1では各グリッドに枠が2つずつ存在すると仮定します。それにより、1つのグリッドに複数の物体が存在しても対応することができます。ただし、以下の解説では簡単のために1つのグリッド

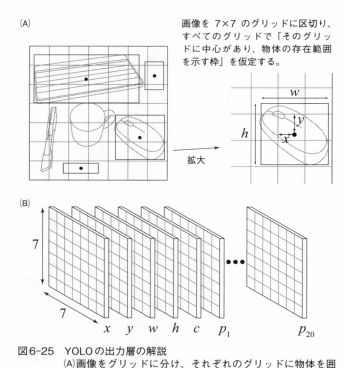

(A)

画像を 7×7 のグリッドに区切り、すべてのグリッドで「そのグリッドに中心があり、物体の存在範囲を示す枠」を仮定する。

拡大

(B)

x　y　w　h　c　p_1　　　　p_{20}

図6-25　YOLOの出力層の解説
　　　　(A)画像をグリッドに分け、それぞれのグリッドに物体を囲む枠が存在すると仮定する
　　　　(B)YOLOの出力層には複数の層からなるニューロンが存在する

に1つの枠が存在するとして話を進めます。

● YOLOの出力

　1つの枠の拡大図を示したのが前ページの**図6-25**(A)の右図です。図のように、グリッド内に枠の中心座標 (x, y) が存在することを仮定し、さらにその枠の幅と高さの組 (w, h) を考えます。これらx、y、w、hの数値は、7×7のグリッドの一つ一つに存在します。そこで、**図6-25**(B)のようにCNNの出力層には7×7のニューロンからなる層が複数あると考え、それぞれの層のニューロンにx、y、w、hの数値そのものを出力させます。ここまでの解説では出力層のニューロン数は$7 \times 7 \times 4 = 196$個ということになります。

　ここで、ニューロンが0から1の間の数値を出力するのではなく、座標、幅、高さといった物理的に意味がある量を出力するというのは奇異に思えるかもしれません。

　実はこれは**3章**で紹介した機械学習の回帰という課題に相当します。これまで主に学んできた分類という課題では、クラスの番号に相当する整数値が教師（ターゲット）となるのでした。それに対し、回帰では任意の実数値を教師にできるのでした。104ページの**図3-8**では「肺活量」という1つの実数値を教師とした回帰の例を紹介しました。

　それに対し、（ここまでの解説では）196個の実数値を出力するCNNが必要になる、というわけです。ただし、前ページの**図6-25**(B)に示されているように出力すべきも

のはx、y、w、h以外にもあります。その解説を続けましょう。

● YOLOの残りの出力

それぞれのグリッドに存在する枠には信頼性（confidence）という数値が割り当てられます。それをcとして356ページの図6-25(B)の出力層に加えます。信頼性とは、そのグリッドに存在する枠の中に物体が存在し、さらにその枠が物体を正しく囲っている際に大きな値をとる数値です。この数値は、グリッド上に仮定した枠のうち最後に残す枠を決めるために用いられます。

また、図6-25(B)出力層にはp_1, …, p_{20}と記された層が20層あります。こちらの解説を行います。この層の数は、このCNNが認識できるクラスの個数に相当します。ここではYOLOバージョン1をベースに解説しているため20層ですが、YOLOバージョン3ではクラス数は80のため80層となります。

層p_iには、「それぞれのグリッドに物体が存在すると仮定した場合、それがクラスiの物体である確率」を値として与えます。

最終的に、信頼性とp_iの積が大きい枠を残す方針で348ページの図6-22の下側のような結果を得ます。

● YOLOのその他の層

なお、YOLOの出力層以外の部分は、24層の畳み込み層と1層の全結合層で構成されています。そこに全結合層

である356ページの**図6-25**(B)の出力層が接続されます。学習には最初の20層の畳み込み層をILSVRCというコンテスト用の1000クラスのデータセットで事前学習し、その後残りの層を加えてファインチューニングを行っています。

● 物体検出のまとめ

　画像からの物体検出にCNNを用いている例として、R-CNNとYOLOの2つの手法を紹介しました。機械学習の教師あり学習である「分類」という課題を行うCNNが、より複雑な「物体検出」という課題に応用できることがわかったと思います。

　本書は書籍である都合上、CNNの解説をすべての章の最後に配置し、あたかもそれがディープラーニングのゴールであるかのように解説をしてきました。

　しかし、R-CNNやYOLOの仕組みを見るとわかるように、そこではCNNはあくまで手法の一つとして扱われています。その際、CNNの出力部に機械学習のサポートベクトルマシンを用いたり、出力層に機械学習の回帰を行わせるなど、応用する課題によって手法を柔軟に改変していることがわかります。

　これらの例が意味するのは、ディープラーニングの研究を行う際、一つの手法に固執することなくさまざまな手法を広く知っておく必要があること、そしてディープラーニングを支える理論や技術を基礎から身につけることが必要であること、の2点であると筆者には思われます。

そのような知識や技術をもっていない場合、ディープラーニングによるシステムのことを、「何をやっているのかよくわからないブラックボックス」と考えてしまいがちです。そうなると、ディープラーニングを用いてできることは限られてしまいます。たとえば、誰か他の研究者が作成した学習済みのネットワークを用いて「推論」を行うことはできるものの、「学習」によって新しいネットワークを作成することはできない、などとなりがちです。

　しかし本書で学んできた通り、ニューラルネットワークおよびディープラーニングで重要なのは「学習」によってデータに適応したネットワークを自動的に生成することなのでした。「学習」によって新たな機能をもったニューラルネットワークが生まれ、そしてそのネットワークを用いた新しい人工知能が開発される……。読者の皆さんがそのようなチャレンジを行うきっかけに本書がなれば、筆者としては幸いです。

　また、ディープラーニングは現在も急速に発展している研究分野です。ですから、現在の最新の手法が1年後には古びていたり、あるいは手法の一つとして改変されながら発展しているということが起こりえます。そのような場合、最新の研究手法を追いかけることももちろん重要ですが、身につけた基礎の知識をベースに手法の本質を理解することも重要と言えるのではないでしょうか。

LibreOffice の インストールと設定

● LibreOfficeに関する注意

付録Aでは、Excelをおもちでない方が演習を実行するために必要なLibreOfficeのインストール方法を紹介します。

LibreOfficeは、OpenOffice.orgという無料オフィスソフトウェアから派生したアプリケーションです。Windows、macOS、Linux（リナックス）などで動作します。

本書ではLibreOfficeのバージョン6で動作確認しました。それ以前のバージョンでも動作する可能性はありますが、可能な限り新しいLibreOfficeを利用してください。

なお、類似のソフトウェアとしてApache OpenOfficeというものもありますが、そちらでは正常に動作しませんのでご注意ください。

なお、Raspberry Pi（ラズベリーパイ）というコンピュータ上のLibreOfficeを利用する方には注意があります。Raspberry Pi用のOSであるRaspbian（ラズビアン）で動作するLibreOfficeには、シート上のグラデーション表示に不具合があるようで、通常の演習ファイルでは色の表現が正しくないことがあります。そのため、Raspberry Pi専用の演習ファイルを「3Libre-RasPi」というフォルダ

に用意しましたので、そちらを用いるようにしてください。

● **Windows版LibreOfficeのインストールと設定**

　それでは、LibreOfficeのインストール法を解説します。まずはWindows版の解説を行います。

　お使いのブラウザで下記のウェブページを開いてください。

　https://ja.libreoffice.org/

　図A-1のようなページが開きますので、「ダウンロード」ボタンをクリックしてください。すると、インストールできるLibreOfficeの候補が2つ現れます。上には次ページの**図A-2(A)**のように「パワーユーザー用」である開発版が表示され、下には**図A-2(B)**のような安定版が表示されます。本書の演習ファイルはどちらでも動作するはずですが、安全のために下の安定版をダウンロードしまし

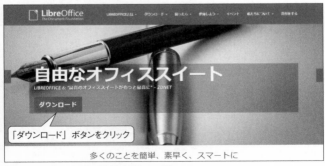

図A-1　LibreOffice の日本語ページ

よう。「ダウンロード」ボタンをクリックしてください。

　すると図A-3のような画面に遷移します。そのまま待っているとダウンロードが自動的に始まり、しばらく待つとそれが終了します。

　ダウンロードされたファイルは、本書執筆時は「LibreOffice_6.3.5_Win_x64.msi」でした。バージョンを表す数字は執筆後変化するはずですので、適切に読み替えてください。ファイルをダブルクリックするとインストー

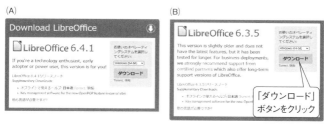

図A-2　LibreOfficeのダウンロードページ
　　　　(A)上に表示される開発版
　　　　(B)下に表示される安定版

図A-3　ダウンロード中に表示される画面

ルが始まります。インストールはデフォルトの設定のまま変更の必要がありませんので、「次へ」ボタンと「インストール」ボタンをクリックするだけで完了します。

インストールが終わったらマクロの設定を確認しましょう。

LibreOfficeを起動し、図A-4のように「ツール」→「オプション」を選択しましょう。すると、次ページの図A-5のような「オプション」画面が開きますので、左側の階層構造から「LibreOffice」→「セキュリティ」を選択し、右側で「マクロセキュリティ」ボタンをクリックします。

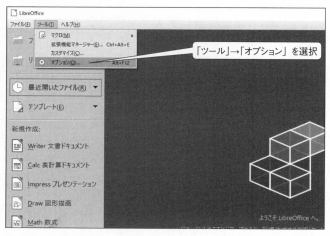

図A-4　インストールが終わったLibreOfficeを起動して設定画面を
　　　　表示する

　すると、次ページの図A-6のような「マクロセキュリティ」画面が開きます。図A-6のように「中」が選択されていれば問題ありません。それ以外の項目が選択されていたら、「中」を選択して「OK」を押しましょう。これで設定の確認は終わりです。

　2章で演習を行う際は「2Libre」というフォルダに含まれているマクロファイルを実行します。実行時に次ページの図A-7のようなセキュリティ警告が現れますが、「マクロの有効化」ボタンを実行して本書の演習ファイルを有効化するようにしてください。この手続きは演習ファイルを開くたびに毎回必要になります。

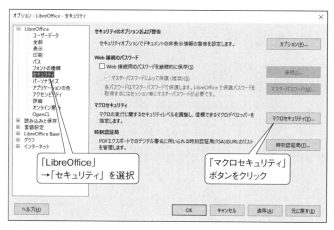

図A-5　「オプション」画面

図A-6 「マクロセキュリティ」画面

図A-7 LibreOffice用の演習ファイルを開くときの警告

● macOS版LibreOfficeについての注釈

macOS版LibreOfficeのインストールと設定もおおむね
Windows版と同様に行います。ここではmacOS特有の注
意点を述べておきます。

まずファイルのダウンロード時は363ページの図A-2の

ように下側に存在する安定版を選択します。そのとき、**図 A-8**における「ダウンロード」ボタンをクリックしてファイル LibreOffice_6.3.5_MacOS_x86-64.dmg をダウンロードするだけでなく、**図A-8**の「翻訳されたユーザーインターフェース：日本語」の部分をクリックし、LibreOffice_6.3.5_MacOS_x86-64_langpack_ja.dmg も合わせてダウンロードするようにしてください。2つ目のファイルをダウンロードしてインストールしないと、メニューなどの文字がすべて英語で表示されてしまうためです。なお、バージョンを表す数字は執筆後変化するはずですので、適切に読み替えてください。

インストールはまず LibreOffice_6.3.5_MacOS_x86-64.dmg から行います。次ページの**図A-9**(A)のような画面が現れますので、LibreOffice アイコンを Applications フォルダにドラッグアンドドロップすることでインストールが始まります。

そのインストールが終わったら、LibreOffice_6.3.5_

図A-8　macOS 版 LibreOffice をインストールするときは「ダウンロード」だけでなく「翻訳されたユーザーインターフェース：日本語」もクリックして2つのファイルをダウンロードする必要がある

MacOS_x86-64_langpack_ja.dmgをダブルクリックしてインストールを行います。図A-9(B)のような画面が開きますので、「LibreOffice Language Pack」をダブルクリックしてインストールを続行してください。何度か確認を求められた後、インストールが完了します。

　2つのファイルをインストールしたら、Windows版と同様にマクロの設定を確認します。Finderの「アプリケーション」にあるLibreOfficeを実行しましょう。364ページの図A-4に類似した画面が開きます。macOSの場合はメニューバーから「LibreOffice」→「設定」を選択することで365ページの図A-5に相当する画面が開きます。後はWindows版と同様に、366ページの図A-6の確認を行ってください。「マクロセキュリティ」の「セキュリティレベル」が「中」になっていなかったら、「中」をクリックしてから「OK」をクリックする必要があります。

(A)

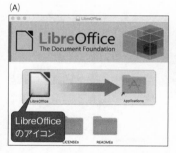

(B)

図A-9　macOS版LibreOfficeのインストール中の画面
　　　　(A)LibreOfficeのアイコンをApplicationsアイコンにドラッグアンドドロップする
　　　　(B)LibreOffice Language Packアイコンをダブルクリックする

● Linux版LibreOfficeについての注釈

　Linux版のLibreOfficeは、多くの場合OSにプリインストールされているでしょうからそちらを利用してください。ただし、LibreOfficeのバージョンが古すぎる場合は本書の演習ファイルが正しく動作しないことがあり得ます。その場合OSの最新版をインストールしなおさねばならないことがありますのでご注意ください。

　なおOSにプリインストールされているLibreOfficeはメニューなどの表示が英語であることが多いと思います。メニューを日本語表示したい場合、たとえばRaspberry Pi用のOSであるRaspbianでしたら、下記の2つのコマンドを順に実行することで日本語メニューをインストールすることができます。

```
sudo apt update
sudo apt install libreoffice-l10n-ja
```

　また、Windows版やmacOS版と同じく「マクロセキュリティ」の「セキュリティレベル」の設定の確認が必要です。メニューなどからLibreOffice Calcを起動し、メニューから「ツール」→「オプション」を選択すると365ページの図A-5の画面が開きますのでマクロセキュリティの設定を確認します。366ページの図A-6の「セキュリティレベル」が「中」になっていなかったら、「中」をクリックしてから「OK」をクリックしてください。

付録 B アプリケーションの強制終了

● アプリケーションを強制終了する必要性

本書では表計算ソフトウェアによる演習を実行します。**4章**と**6章**の演習ファイルには、ニューラルネットワークの学習のために数十分から1日以上の時間がかかるものが存在します。学習を実行しなければ問題ないのですが、誤って学習を開始してしまうと表計算ソフトウェアを強制終了しなければならない場合があります。**付録B**ではその方法を紹介します。

● Windowsの場合

Windowsでアプリケーションを強制終了する際には、「タスクマネージャー」というアプリケーションを用います。タスクマネージャーの起動方法を次ページの図B-1に2つ紹介しました。

図B-1(A)はWindows下部のタスクバー上でマウスの右ボタンをクリックし、現れたメニューから「タスク マネージャー」を選択する方法です。

図B-1(B)はタスクバー上の検索欄にキーボードで「タスク」と入力し、候補として現れた「タスク マネージャー」を選択する方法です。

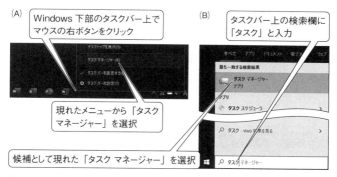

図B-1 Windowsでのタスクマネージャーの2つの起動方法
(A) タスクバーでマウスを右クリックして「タスクマネージャー」を選択する
(B) 検索欄に「タスク」まで書き込むと候補として「タスクマネージャー」が現れるのでクリックする

いずれかの方法でタスクマネージャーを起動すると次ページの図B-2(A)または図B-2(B)のような画面が開きます。それぞれ簡易表示と詳細表示ですが、いずれの場合も強制終了したいアプリケーションをマウスでクリックし（図の場合はMicrosoft Excel）、右下の「タスクの終了」ボタンをクリックすることで強制終了できます。

● macOSの場合

macOSの場合も似たような方法でアプリケーションを強制終了できます。アップルメニューから「強制終了」を選択してください。「アプリケーションの強制終了」というウインドウが開きますので、強制終了したいアプリケーション（ExcelかLibreOffice）を選択し、「強制終了」ボ

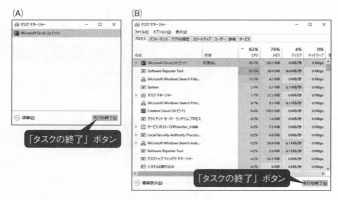

図B-2　タスクマネージャーでExcelを強制終了する
　　　　(A)簡易表示の場合
　　　　(B)詳細表示の場合

タンをクリックしてください。

●Linuxの場合

　Linuxの場合も、WindowsやmacOSと似たような方法でアプリケーションを強制終了できることが多いでしょう。

　Raspberry Pi用のRaspbianの場合、デスクトップのメニューから「アクセサリ」→「タスクマネージャ」とたどることで強制終了用のアプリケーションが起動します。「soffice.bin」という項目の上でマウスを右クリックして「終了」または「強制終了」を選択することでLibreOfficeを強制終了できます。

おわりに

　機械学習の教師あり学習である「分類」を題材に、ディープラーニングを支える理論を解説しました。筆者がお伝えしたかったのは、ディープラーニングを支える理論の多くは高校で学ぶ範囲の数学で理解できるということです。その解説には数式を用いましたが、数式の理解の助けとなる図や演習をたくさん用意しました。本書が、皆さんがディープラーニングを理解するための第一歩になれば幸いです。

　なお、6章の最後でも触れたように、ディープラーニングは「何故そのように動作するのかわからないブラックボックス」と言われることがあります。確かにそういう面もないとは言えません。しかし、本書の内容に基づけば、これは以下のように解説しなおすことができます。

　まず、ディープラーニングにおける学習は、損失関数の局所最適解に到達するよう進みます。その理論は3章、4章で解説したように微分などの知識で理解できるのでした。そして5章で解説したように、学習が途中でとどまることなく良い結果が得られるようさまざまな工夫がなされるのでした。わからないのは、多数存在する局所最適解のうちどの解に到達するかです。それはパラメータの初期値やデータを与える順番などによって決まり、その決定にはランダム性があります。

　また、得られた解の性質を理解することは、ネットワークの規模が大きいと確かにわかりにくいと言えます。しか

し6章で学んだように、学習済みのCNNの性質は逆畳み込みにより理解できる部分があり、全くのブラックボックスとは言えません。

このように、理論を学ぶことには、何が理解できて何が理解できないかを明確にできるというメリットがあります。

ディープラーニングや機械学習について、理論を学ぶだけではなく実際にプログラムを書いたり動かしたりして体験してみたいという方には、筆者による以下の書籍をお勧めします。

金丸隆志『カラー図解 Raspberry Piではじめる機械学習』(2018)講談社ブルーバックス

今後も、ディープラーニングを用いた新たな応用事例がニュースで報道されることでしょう。そのようなニュースを見かけたら、本書で学んだ内容をもとに理解できることはないか考察してみてください。それによりディープラーニングや人工知能をより身近に感じられるでしょう。

2020年3月　金丸隆志

参考文献

　脳科学とニューラルネットワークの歴史を知りたい方には、日本の研究者による下記の書籍をお勧めします。文献[1]はニューラルネットワーク研究者がディープラーニングブーム以前の脳科学の歴史を振り返る座談会の記録となっており、研究者の本音を知ることができます。

　[1] 外山敬介、甘利俊一、篠本滋 編『脳科学のテーブル』（2008）京都大学学術出版会
　[2] 甘利俊一『脳・心・人工知能』（2016）講談社ブルーバックス

　本書で用いた手書き数字は Optical Recognition of Handwritten Digits Data Set というデータのうちのテスト用データを活用しています。Python 用の機械学習ライブラリ scikit-learn（サイキットラーン）にも含まれるものです。このデータは D. Dua と C. Graff による UCI Machine Learning Repository にて下記の URL で公開されています。

　[3] http://archive.ics.uci.edu/ml/datasets/Optical+Recognition+of+Handwritten+Digits

　以下には、本書の執筆にあたり参考にした書籍を記します。理論的な書籍や英語の論文が多いですがご了承ください。

ニューラルネットワークの理論については以下の書籍を参考にしました。

[4] C.M. ビショップ『パターン認識と機械学習』上 (2012) 丸善出版

ディープラーニングについては下記を参考にしました。大著ですので、この本から学び始めるのは困難と思われます。ある程度知識がついてから辞書のように用いるのが良いと思います。

[5] I. Goodfellow, Y. Bengio, A. Courville『深層学習』 (2018) KADOKAWA

4章で3個のニューロンからなる多層ニューラルネットワークによるXORの学習について紹介しました。その理論的な解析は下記の書籍で紹介されています。

[6] 甘利俊一『新版 情報幾何学の新展開』(2019) サイエンス社

2章および5章で紹介した生体が行う視覚情報処理については下記の5章を参考にしました。

[7] 理化学研究所 脳科学総合研究センター編『脳研究の最前線』上 (2007) 講談社ブルーバックス

本書5章以降の内容は主に英語で書かれた論文を参考にしました。ディープラーニングで重要な論文は、その多くがインターネットからPDFファイルとしてダウンロード

できます。下記のタイトルで検索すればすぐに見つけられますので興味のある方はチャレンジしてください。

　ドロップアウトについては下記の論文を参考にしました。

[8] N. Srivastavaら, "Dropout: A Simple Way to Prevent Neural Networks from Overfitting," Journal of Machine Learning Research, vol.15（2014）pp.1929-1958.

　CNNの元祖と言えるネオコグニトロンは下記の論文で提案されました。

[9] K. Fukushima, "Neocognitron: A Self-organizing Neural Network Model for a Mechanism of Pattern Recognition Unaffected by Shift in Position," Biological Cybernetics, vol.36（1980）pp.193-202.

　CNNに誤差逆伝播法を適用したのは1989年の下記の論文です。

[10] Y. LeCunら, "Backpropagation Applied to Handwritten Zip Code Recognition," Neural Computation, vol.1（1989）pp.541-551.

　LeCunらの1998年のCNNの論文は以下のものです。

[11] Y. LeCunら, "Gradient-Based Learning Applied to Document Recognition," Proceedings of the IEEE,

vol.86（1998）pp.2278-2324.

後にAlexNetと呼ばれることになる大規模なCNNについての2012年の論文は以下のものです。1章で画像認識のコンテストで圧勝したと述べたのはこのAlexNetです。

[12] A. Krizhevskyら，"ImageNet Classification with Deep Convolutional Neural Networks", NIPS'12 Proceedings of the 25th International Conference on Neural Information Processing Systems, vol.1（2012）pp.1097-1105.

逆畳み込みによるCNNの理解については以下の論文を参考にしました。

[13] M.D. Zeilerら，"Visualizing and Understanding Convolutional Networks," in ECCV 2014,（2014）pp.818-833.

物体検出を行うR-CNNは以下の論文で提案されました。

[14] R. Girshickら，"Rich feature hierarchies for accurate object detection and semantic segmentation," in 2014 IEEE Conference on Computer Vision and Pattern Recognition,（2014）.

物体検出を行うYOLOは以下の論文で提案されました。

[15] J. Redmonら，"You Only Look Once: Unified, Real-

Time Object Detection," in 2016 IEEE Conference on Computer Vision and Pattern Recognition, (2016).

さくいん